Textes courts

...des hommes et des ombres

Collectif

Textes réunis et présentés par
Dieulermesson Petit Frère

LEGS ÉDITION

EN GUISE D'INTRODUCTION
— *Dieulermesson Petit Frère* —

Perçu souvent comme le symbole de l'autorité, de l'ordre et de la peur dans l'imaginaire collectif, le père, quand il n'est pas présenté comme un "raté" ou un imposteur, est un sujet quasiment effacé du corpus littéraire haïtien. Le fait est que les créateurs n'ont pas su s'approprier son image pour en faire un (vrai) héros. Or, au même titre que la mère, le père tient, que l'on veuille ou non, un rôle social, dans le développement de la personnalité et de la construction de l'identité. De la première moitié du 20ème siècle à nos jours, son appropriation varie d'un écrivain à un autre. Des romanciers réalistes à Roumain, sa figure apparaît assez floue.

D'Alexis (père et fils) en passant par Marie Vieux-Chauvet à Émile Ollivier, il surgit pour ensuite s'estomper peu à peu, et de Kettly Mars à Gary Victor, la dynamique semble avoir acquis un autre statut.

Dans *La lettre au père*, Franz Kafka fait le procès d'un homme – un tyran – qui lui a inspiré la terreur durant toute son enfance. Il a donc vécu en reclus, fermé sur lui-même, sans pouvoir vraiment s'épanouir et profiter de la vie. Cette lettre, jamais remise à son destinataire, traduit tout le regret et le désarroi d'un fils dont l'enfance est ruinée pour avoir été prisonnier d'un sentiment d'infériorité et de rejet de soi. Ce texte, d'une violence rare, se présente comme un règlement de compte et raconte, sans fard, la douleur du fils et ses relations sulfureuses et orageuses avec le père. *...des hommes et des ombres* ne s'inscrit pas dans ce cadre-là. Ce n'est nullement un livre d'étude de comportements, ni de jugement de valeurs ou des rapports au sein de la structure familiale.

Le prétexte ici est de mettre en relief le

rapport au père. (D)Écrire le mode de filiation, la distance ou les liens, l'héritage symbolique et la construction de soi à travers la figure paternelle, c'est donc l'objectif principal. Les relations et/ou représentations découlées de l'image véhiculée au sein de l'univers parental sont souvent le produit d'une certaine complexité constituant elle-même une sorte d'impasse du « processus de subjectivation pubertaire ». Lever le voile sur ce côté caché de soi, voilà de quoi revenir sur ce monde oublié pour mieux appréhender l'avenir. Nous avons tous entretenu dans notre enfance un quelconque rapport avec le père – qu'il soit affectif, conflictuel, autoritaire ou harmonieux. Ce sont ces petites heures de bonheur qui ont bercé notre adolescence, ces instants de folies qui ont illuminé nos matins et ces saisons douloureuses qui ont hanté nos rêves en temps d'enfance qu'il convient de retracer ici.

En effet, tout acte de parole s'inscrit dans un aller-retour de l'autre à soi. L'acte discursif est donc circonscrit dans un prolongement dynamique incluant entre autres tous les éléments et sujets en situation. Ainsi, il n'est pas toujours facile de parler de soi, de se mettre en avant en dehors de ce rapport binaire qui fait de l'autre son vis-à-vis essentiel – qu'il soit nommé ou pas – dans cette quête de parole nouvelle sur les êtres et les choses, donc l'univers. Car tout énoncé est énoncé de quelque chose dès lors qu'il est produit dans un cadre énonciatif. Aussi les textes réunis dans ce recueil s'inspirent-ils chacun d'un vécu particulier et retracent des pans d'histoire, des tranches de vie individuelle ou collective.

L'intention est de s'offrir cette possibilité de s'affranchir d'une vieille histoire, de parler de soi en même temps qu'on parle de l'autre. Des écrivains racontent, (se) dévoilent et (ré)inventent ici et là leur relation au père. Qu'il soit triste, tendre ou glorieux, personne ne saurait oublier ou ne peut prétendre se défaire de son passé. Il nous colle à la peau comme une marque déposée. L'enfance est une cave à secret, une ville souterraine où loge notre âme – le soi intérieur. C'est l'aube de la vie. Son essence, c'est de nous réveiller et de nous ouvrir à la lumière, l'éternel commencement à chaque fois que nous perdons le nord, ou quand nous nous approchons vers le crépuscule pour aider à rêver en habillant nos silences.

À cet effet, ...*des hommes et des ombres* n'entend nullement faire le procès d'une vie ou d'une époque, encore moins d'une saga familiale, mais se veut un espace pour se libérer ou ressasser un passé proche ou lointain, une expérience de vie fulgurante ou amère, glorieuse ou sombre. Les études ont démontré que les premiers mots prononcés par l'enfant en grandissant ne sont autres que ceux du père et de la mère – ces gens de son voisinage immédiat qui sont ses premiers modèles.

Aussi parler du père dans le contexte des formes de relations tissées dans le cadre familial, est-ce aussi évoquer, de façon implicite ou explicite, la figure de la mère. En mettant en scène cette part subjective, personnelle et individuelle, l'on est amené à décrypter également (en substrat) les dessous du rapport collectif. Car il y est question de l'affect.

Et chaque nouvelle ici met en valeur ce côté affectif, quel que soit le point de vue adopté par les auteurs. Les visages du père sont donc multiples : absent, adoptif, martyr, insouciant, coupable, soucieux, bienveillant, sympathique et courtois. Il y a à la fois ce manque à combler et ce besoin de sécurité manifeste qui se dégagent dans le dire de chaque narrateur. Si le récit « S'il fallait que je raconte Do » met sous nos yeux un père sévère et affectueux, qui aime et châtie bien, « Mon père, ce héros », présente une narratrice « ballotée d'un trop peu à un trop-plein de tendresse ». De leur côté, Altagracia et sa fille Mathilde sont déchirées, meurtries et effondrées de voir Macélus partir « en terre voisine, cette terre de tous les crimes et de toutes les souffrances », sans espoir de retour. D'où elles sont appelées à vivre avec ce vide laissé par cette incertitude, cette absence imposée par les circonstances et le besoin de fuir la misère à tout prix. De son côté, Antoine s'est senti coupable de ne pouvoir répondre aux besoins de son fils Léopold, faute de moyens adéquats.

Travailleur saisonnier, il n'a pas de longs bras et ne peut déplacer les montagnes. Mais quand il apprend que le petit a été confié à cet orphelinat pas très catholique du vieux bourg, et qu'il se met à penser à tout ce qui se passe derrière ces murs, il remue ciel et terre pour le récupérer et le mettre à l'abri.

...*des hommes et des ombres*, treize récits qui proposent de nouvelles formes de (ré)appropriation de l'image paternelle dans la littérature.

LETTRE À MANUEL, JEANNE ET SARAH
— *Franz Benjamin* —

Gonaïves, le 15 août 1982

Mes chers enfants,

Entre deux averses si rares dans la région de l'Artibonite, je profite d'un court moment de répit pour vous écrire. À l'ombre du cotonnier donnant sur la véranda, je regarde filer le jour sans avoir à me demander de quelle couleur sera demain car demain, désormais pour moi, est ici et maintenant.

Cette lettre sera pour nous le lieu final de nos confidences. De toutes ces vérités immuables dans nos vies parce qu'essentielles à ce que nous sommes. Celles avouées dans le désaveu des jours qui s'effacent tranquillement sous nos pas. Dans un silence presque rectiligne, je prends la pleine mesure de cette dernière saison atone. J'aurais aimé pouvoir continuer comme au temps des marguerites et des bougainvilliers, lorsque, sous l'amandier de la cour, à la tombée du jour, nous plongions dans les histoires et légendes du temps jadis. Et tard dans la nuit, à l'ombre d'une vieille chandelle, je vous chantais les airs d'autrefois. Tant de choses que j'aurais aimées revivre avec vous mes chers enfants. Regarder chacun d'entre vous, explorant la vie, patiemment et parfois douloureusement. Toi Manuel, faisant tes premières brasses dans la Rivière La Quinte. Et toi Jeanne, apprenant difficilement le maniement d'une canne à pêche. Sarah que je revois encore tenant pour la première fois un ballon de volley-ball sans savoir qu'elle deviendrait un jour capitaine de la sélection nationale. Ah! Mes chers enfants!

Bientôt mon corps, dans le bégaiement des dieux, perdra la notion du jour. Le parfum fugace de l'ylang-ylang, la douce saveur des mangues et la musique nocturne des grillons sont pour moi déjà une mélodie lointaine dans le sillon lancinant de la mémoire. Bientôt, nos visages s'éloigneront peu à peu de nous dans la douleur des larmes et du deuil. Et sous peu, vous allez devoir ressasser tranquillement, au lit des souvenirs, tout ce que nous avions bâti ensemble au cours des trois dernières décennies. Mais avant tout cela, je devrai apprendre, seul, à faire tourner la roue du renoncement éternel à ceux qui, jusqu'ici, me sont les plus chers à savoir vous, mes trois enfants.

Vous voilà aujourd'hui devenus des adultes, servant votre communauté, votre pays et vos concitoyens. Mon cher Manuel, à t'entendre discourir au sujet de tes travaux d'ingénieur hydraulique en faveur des paysans de la vallée de l'Artibonite, je me dis tout bas que nous avons encore le droit d'espérer. Toi Jeanne, la battante, combien de malades, d'accidentés ont pu bénéficier de tes premiers soins à titre d'infirmière? Ma petite Sarah, aujourd'hui encore, me disais-tu dans ta dernière lettre, tu trouves le temps après de longues journées de travail pour te rendre dans certains quartiers défavorisés afin de soutenir de nombreux jeunes dans la pratique du sport. De Gonaïves à New-York en passant par Montréal, vos villes respectives, vos actions et vos réalisations sont les plus grands témoins de cet amour que nous avions tous les quatre reçu en héritage.

À vous regarder chacun dans vos trames de vie ou dans vos sphères d'activités personnelles, je me réjouis des efforts et des sacrifices que nous avions consentis comme famille pour parvenir à ce résultat. Je m'enorgueillis non seulement d'avoir presque tout mis de côté afin de vous donner le meilleur de moi-même mais surtout de vous avoir inculqué les valeurs de partage, de solidarité et du travail acharné. Et ce meilleur de moi-même, je l'ai puisé avant tout dans l'amour sans commune mesure pour votre vénérée mère. Un amour tissé dans une promesse faite à une femme que j'ai aimée sans le savoir dès nos premiers instants non loin du lac Neuville. Elle a été, tout au long des ces dernières années, ma boussole particulièrement lors des moments de trouble et d'angoisse. Elle a été tout ce qui manquait à la moitié d'homme que je fus. Elle a été, dans son sourire et ses mots, le sentier tracé duquel je n'ai voulu jamais m'éloigner. Je vous regardais souvent d'ailleurs en tentant de déceler quelques traits de votre mère dans votre sourire, votre démarche ou vos gestes.

Que faire lorsqu'un beau matin l'on se réveille comme seul responsable de la sécurité et du bien-être de trois gamins âgés respectivement d'à peine six ans, quatre ans et deux ans ? Je ne vous cacherai pas que l'anxiété de la tâche et toute la peine ressentie dans ma chair au départ de votre mère ont failli m'emporter. Elle nous a quittés un soir de novembre non sans nous avoir préalablement fait le legs le plus précieux qu'on puisse faire à ses enfants : l'amour. En faisant l'inventaire de ce patrimoine, il faudrait aussi rappeler en tout premier lieu le don du regard qui nous a permis de traverser en presque toute sérénité tant de turpitudes et de vacarmes. Toutes les trames de nos vies sont portées par ce regard, cette présence indissoluble de votre mère. Ne l'oubliez jamais.

Parce qu'elle était femme et mère, elle a su me dicter les vers les plus mélodieux et les plus prodigieux qui ont fait, lorsqu'on y pense, de notre existence une poésie à lire debout. Elle m'avait, tout au long de sa maladie, supplié de vous aimer comme elle vous aimait. Je vous ai donc aimé comme une mère sans oublier une seconde de mon existence que je suis votre père.

Mes chers enfants, en faisant le décompte des nuits sans sommeil, des séjours répétés chez le médecin, de tous les voyages et petits plaisirs de la vie inassouvis, je mesure par votre succès le bien-fondé d'avoir parfois été un père exigeant et même sévère. L'effort fait les forts, aimais-je vous répéter. Ce regard franc, vertical et paternel que vous connaissez si bien, qui vous faisait parfois frémir, n'a jamais un instant trahi les valeurs fondamentales me guidant pour votre bien-être. Si parfois, la rudesse de mes propos ou l'implacabilité de mes arguments vous ont parfois trop remués, sachez qu'ils n'étaient nullement portés par des intentions malveillantes mais seulement par un père en devoir.

Bien que n'ayant pas moi-même appris à être père, je me suis laissé guider par mon instinct en me disant tout bas parfois comment j'aurais aimé être aimé par mon propre père. Hélas! Comment le savoir puisque je ne l'ai jamais connu. Ma mère m'ayant déjà confié que ce dernier l'avait abandonnée alors qu'elle me portait depuis cinq mois.

Mes chers enfants, dans le silence de la voix de votre mère qui nous a quittés voilà presque vingt-huit ans, je vous écris cette dernière lettre en guise de testament d'amour que je vous invite à léguer à votre tour à vos enfants, mes petits-enfants.

Il n'y a pas si longtemps, c'était, je crois, le 29 février dernier, lors de cette belle réunion familiale dans la localité Des Dattes, prenant mon courage à deux mains, j'ai partagé avec vous ce secret qui vous était jusque-là caché. J'avais passé les trois nuits d'avant sans pouvoir fermer l'œil. Je m'étais demandé trois jours durant quelle allait être vos réactions. Ça allait être un choc d'apprendre à l'âge où nous mordons dans la vie à pleines dents que celui que vous avez toujours appelé PA, Papa ou Papounet n'est pas votre père biologique. J'appréhendais toutes sortes de réactions allant des crises de larmes aux gros mots voire à l'effondrement du château familial suite à cet exercice de dessillement.

J'ai été plutôt happé par votre comportement unanime face à ces révélations. Cette chaleureuse sérénité devant ce qui aurait pu être, ailleurs, un séisme de grande magnitude. Jeanne la première me disant : « Papa, on s'en fout. Tu es notre papa ». Et lorsque j'ai tenté d'élucider l'affaire, pour comprendre votre sérénité, Manuel, tu m'as rappelé à l'ordre en me disant: « PA, arrête tes histoires veux-tu ? Tu es notre père. Celui que la vie nous a donné ». Tout était dit dans cette simple phrase. Et les trente dernières années, comme une saison en fleurs, se sont mises à danser en moi ce jour-là.

Bien que je ne sois pas votre géniteur,

je n'en demeure pas moins celui qui a veillé sur vous et qui vous a aimé d'un amour paternel sans retenue. Être géniteur après tout n'a aucun sens s'il n'est pas accompagné par les vertus de la paternité. Et ces vertus s'apprennent dans la spirale de la vie à travers l'affection et la protection nécessaires du père pour ses enfants. Mes chers enfants, je ne sais toujours pas si j'ai été pour vous un bon père mais je puis vous assurer que j'ai tenté de l'être avec ce que j'ai de force et d'abnégation. De courage et de peur. De fortune et de pauvreté.

Ma petite Sarah, dans ta dernière lettre, tu voulais avoir les dernières nouvelles au sujet du traitement. Le docteur Alexis est venu me voir le jeudi 12 août dernier. Il était venu me présenter les résultats des derniers examens. Et je dois tout de suite confier à vous trois que le pronostic n'est pas très bon. Là où je me suis rendu, il n'y a ni médicaments ou un quelconque traitement qui pourra conjurer le sort qui m'attend. Je me suis donc résigné à l'idée de vous écrire cette lettre en guise de testament. Elle ne sera pas postée.

Elle vous attendra patiemment sur ma petite table de lecture. Je n'ai pas le courage de vous voir peinés à me voir partir.

Mes chers enfants, soyez sans crainte comme je suis sans peur devant la mort. Je pars rejoindre mon amour qui m'attend depuis près de trente ans quelque part au bord d'un lac ou d'une rivière dans ce pays qui m'est inconnu. Là où votre mère et moi serons, nous serons heureux car sachant que vous continuerez à faire vivre l'amour et l'espoir autour de vous. Pour la suite des choses, je n'ai pas de consignes particulières à vous laisser que ce soit au sujet de votre héritage ou de mes funérailles. Je sais que tout se passera très bien.

Pa, Papa, Papounet,
qui vous adore les trois.

LE GOÛT DES OMBRES
— Jean Watson Charles —

Malgré le peu d'années passées avec son père Macélus, Mathilde gardait en elle le souvenir d'un père qu'elle croyait connaître. Elle ressentait encore l'effluve de sa transpiration comme si sa présence ne l'avait jamais quittée. Elle avait quatre ans quand son père quitta le pays, laissant Altagracia, sa femme dans une douleur incommensurable. Il partait en terre voisine, cette terre de tous les crimes et de toutes les souffrances, quittant Croix-des-Bouquets, sa ville natale, où il prit un bus qui l'emmenait près de la frontière de Malpasse. Ciprien Lafortune, Archélus Céleur, Boniface Coicou, tous, sacs à la main, l'attendaient à la station du bus. Altagracia l'accompagnait. Elle avait voulu être présente dans ce moment de séparation, d'incertitude et de fragilité. Elle avait l'air bilieux, inquiète même. Ce jour-là, Mathilde se tenait à côté de sa mère bouleversée, et se voyait dans cet instant son ultime défaite. Les yeux embués, chargés de regrets et d'amertume, Altagracia regardait partir son homme avec qui elle avait partagé tant d'années. Bien avant de monter dans le bus, il avait pris la petite Mathilde dans ses bras, lui murmurant des mots que l'enfant se rappelle encore. Sois sage avec maman. Sois sage mon enfant, lui dit-il. Puis, il lui donna un baiser sur le front. Elle secoua la tête comme pour lui dire « oui », serra la main de sa mère, puis enfonça son pouce dans sa bouche qu'elle suçota avant de lever ses yeux mouillés de larmes vers le ciel. L'enfant le voyait partir, tapant le dos de l'un de ses amis puis monta dans le bus. Mathilde demanda à sa mère s'il reviendrait. L'amertume avait gonflé la poitrine d'Altagracia, bloqua sa respiration comme prit d'un vertige. Il reviendra, dit-elle sans trop vraiment y croire.

Le ciel était rempli de nuages tièdes. Et la chaleur s'engouffrait sous les arbres, ne laissant aucun répit aux paysans qui sarclaient les terres arides. Quand elle rentra chez elle, Altagracia rangea les restes de vêtements de son mari dans une vielle malle qui se trouvait sous le galetas de sa maison. La poussière qui sortait de celle-ci la faisait tousser. Recule, ordonna-t-elle à sa fille. L'enfant se rencognait près du mur, où elle passait la journée à pleurer, à crier, disant qu'elle voulait rejoindre son père, qu'elle voulait encore un câlin. Altagracia la prit dans ses bras, puis essuya ses yeux perlés de larmes d'un mouchoir qui serrait sa ceinture. Quand il viendra, il t'en donnera plein, lui dit-elle. C'est vrai ? s'enquit l'enfant, regardant sa mère les yeux écarquillés. Oui, je te dis, puis arrête de me faire parler. Se sentant attristée, elle lorgnait sa mère, baissait la tête comme si elle cherchait quelque chose au sol, puis se dirigea vers l'embrasure de la porte, où elle regardait à nouveau ce chemin brumeux, à travers lequel les empreintes des pas de son père semblaient gravées à tout jamais. Un vide s'installa en elle, lourd et métallique. Les yeux globuleux et tristes, l'enfant resta un instant silencieuse et comprit qu'elle devrait accepter cette séparation. La mère ne l'avait pas voulue non plus.

Altagracia n'avait de nouvelles de son mari que par des hommes qui vendaient des coqs de combat près de la frontière. Un jour, elle avait reçu dans une enveloppe quelques billets de pesos que lui avait envoyés Macélus. Elle avait demandé au messager si ce dernier ne lui avait pas dit quand il rentrait au pays. Bientôt, lui répondit sèchement l'homme, avant de fondre dans la foule qui se pressait vers l'ouverture de la barrière grillagée. L'homme disparut. Altagracia n'avait pas eu le temps de le remercier. Puis elle rentra chez elle, et dans cette pièce qui lui servait de chambre, elle prenait sa fille sur ses genoux en lui montrant l'argent. Regarde ce que papa t'a envoyé. L'enfant posa le regard sur les billets que lui tendait sa mère, puis de ses doigts, elle les frôla comme pour sentir sa présence invisible. Je vais t'acheter une belle robe, lui dit-elle. Tu es contente ? lui demanda sa mère. Elle secoua sa tête et acquiesça. L'absence du père l'avait rendue si triste qu'elle se sentait au fond d'elle comme une orpheline.

Épuisée après tant d'années de combat avec sa mère qui souffrait d'une maladie que seule la mort pouvait guérir, Altagracia voyait s'abattre une sécheresse sur ce lopin de terre que lui avait légué ses ancêtres ; et qu'elle devrait à présent vendre. Elle quitta Croix-des-Bouquets à son tour, utilisant l'argent pour louer une petite chambre à Cité-Soleil, où elle vivrait désormais avec sa fille. Aurait-elle le courage de vivre cette misérable vie ? Comment surmonter la déréliction et le chagrin de sa fille qui réclamait sans cesse la présence du père ? Seule, elle éleva l'enfant et l'éduqua. Souvent, elle parlait à Dieumène en lui disant que cela faisait des mois qu'elle n'avait pas eu de nouvelles de son mari. Peut-être qu'il est mort de l'autre côté, martela-t-elle. Le cœur d'Algracia bondit, prit d'un effroi qui l'empêcha de dormir ce jour-là. Franchement, elle aurait aimé entendre autre chose de la bouche de cette femme qui se gavait d'alcool en cachette.

Mathilde aidait sa mère dans ces tâches ménagères qui la vieillissaient. Parfois, le soir, quand elle rentrait du marché, la petite fille massait ses pieds enflés qui l'empêchaient de dormir la nuit. L'absence du père semblait l'avoir dépouillée de sensibilité humaine ; et d'un amour qu'elle n'éprouvait que pour sa mère. Elle avait le sentiment de naître dans ce monde que par erreur, où elle devrait à présent subir les railleries des enfants qui la considéraient comme une « bâtarde ». Sa mère, désespérée, se plaignait de son comportement agressif et moqueur : elle battait les chiens errants, rudoyait et chipait l'argent des enfants du voisin et effrayait les vieux dans leur maison. Le caractère bourru et sauvage de l'enfant la révoltait. Silfida la conseillait de l'enfermer « chez les fous ». Sinon cette petite va te causer des ennuis. Elle finira en prison si cela continue, finit-elle par lui dire un jour. Le soir, à la lueur de la lampe à pétrole, elle parlait à cette adolescente qu'elle était devenue, la confessait, lui prodiguait des conseils ; et elle écoutait sa mère qui lui parlait de son père dont les nouvelles de sa mort lui était parvenue depuis peu. Comment est-il mort ? questionna-t-elle. Altagracia baissa la tête, regardant ses pieds qui grossissaient. Je ne sais pas trop, répondit-t-elle. Elle avait compté des années avant qu'elle eut cette mauvaise nouvelle qui enlevait une partie d'elle-même. Une douleur la saisissait et lui rongeait le ventre telle une gangrène. Elle laissa échapper un cri que seul le ciel pouvait entendre ; puis elle serra Mathilde dans ses bras. Elle sentait peser sur sa poitrine tout le poids de l'amertume que l'enfant portait. Si elle avait eu assez d'argent, elle ferait rapatrier le cadavre au pays pour que sa fille le voie une dernière fois. Mathilde s'éloigna de sa mère et se dirigea près de la fenêtre où elle s'asseyait. Un murmure sortait au fond d'elle. Et dans sa bouche, elle sentit le goût de cette blessure. Par l'ouverture de la fenêtre, elle regardait le monde. Elle vivait là, dans cette ville, au milieu des assaillants. Ce vent qui venait de l'extérieur l'étouffait. Pour une enfant, elle sentait que la vie est devenue trop lourde pour elle. Elle ne pensait pas qu'une telle chose puisse advenir. Elle croyait le revoir un jour, revenant du pays où il avait passé ses années, le regardant de ses yeux d'enfant triste et tendre. Elle aimerait lui demander de lui raconter des choses qu'il avait vues. Encore aujourd'hui, elle se demande pourquoi il est parti, laissant les siens. Sa mère était présente lors du départ, incapable de s'opposer à ce choix. C'est pour vous que je fais tout cela. C'est pour que vous viviez mieux sur cette terre maudite, lui avait-il dit. Altagracia se souvenait encore de ces mots.

Mathilde grandit ; et le temps ne semblait pas effacer dans sa mémoire l'image du père. Lors de son départ, elle se rappelait que le soleil d'avril brûlait le pays et il tenait dans sa main un chapeau qu'il vissa sur sa tête. Elle ne souhaiterait connaître qu'une parenthèse de sa vie. Seule une vieille photo que conservait encore Altagracia paraissait insuffisante pour la guider. L'enfant tourmentée qu'elle était semblait enfuie dans les méandres de ce monde confus. Elle a toujours vu dans le départ de son père un acte de bannissement. Elle n'arrêtait pas de contempler le visage de sa mère, flétri par les années de misère et le souvenir de son mari qui ne l'a jamais quittée.

En cours, quand son professeur lisait cette phrase de François Mauriac : "Mais l'enfance est elle-même une fin, un aboutissement". Mathilde voyait dans ces mots sa propre fin ou une chose qu'elle n'avait pas vraiment vécue. Les mots tombaient en elle comme une bête tombée dans un précipice. Ne sentirait-elle pas rater l'ultime chose qui pourrait rendre sa vie heureuse ? Désormais, son existence était marquée d'un sentiment d'abnégation ou d'un rejet. Elle se demandait comment elle arriverait à surmonter ce destin, cette vie qu'elle n'avait pas choisie. Elle vivait avec une souffrance qu'elle partageait avec une mère malade. Elle grandissait et elle savait que sa vie prendrait un autre chemin que celui qu'avait pris son père. Entre-temps, elle était devenue une fille taciturne, blessée à l'intérieur d'elle-même, rêvant de voir un jour sa vie épanouie, comme le souhaitait sa mère. Elle avait vécu depuis quelques années une vie au rythme des guerres et de la souffrance, une vie trépidante que menait sa mère, où elle se levait dès l'aube pour aller travailler. Cette vie l'avait marquée. Très jeune déjà, elle devait traverser la ville comme on traverse un pays, pour se rendre à l'école en compagnie de sa mère, qui, elle-même, devait se rendre à la *Factory*. La fatigue ankylosait les jambes. Les routes rocail-leuses usaient les chaussures, et la faim ballonnait son ventre. L'après-midi, pour rentrer chez elle, Malthide devait reprendre ce même chemin, seu-le, dans la poussière sèche des routes. Sa seule force, était le nom de son père gravé sur le cartable qu'elle tenait sur ses bras. Le seul nom qui résonnait en elle, dont elle connaissait le sens. Souvent, en compagnie de sa mère, Mathilde parlait ce qu'elle ferait plus tard quand elle terminerait ses études secondaires, qu'elle rêvait d'être avocate ou politicienne. Altagracia l'écouta silencieusement, baissa sa tête lentement avant de poser son regard sur sa fille. La politique, ma fille, c'est pour les voleurs. Ne vois-tu pas ce qu'ils ont fait à ce pays ? murmura la mère. Je ne veux pas perdre la seule chose qui restait de Macélus. Puis, elle la prenait dans ses bras maternels, comme pour lui témoigner son amour si précieux.

Le temps passa vite. Mais le vide que ressentait Mathilde dans le foyer familial était pesant. Elle ne comprenait pas pourquoi sa mère n'avait jamais voulu refaire sa vie avec un autre homme. Elle sait qu'elle préserverait certaines choses dont elle ignorait l'existence. Altagracia était toujours à ses côtés, scrutait ses moindres gestes ; lui prodiguait un amour intense qui comblait toute sa vie, une vie pétrie de tendresse mater-nelle. Mathilde gardait au fond d'elle les images anciennes, d'un monde qui semblait arrêté autour d'elle. Souvent, elle se plaignait de n'avoir pas connu ses grands-parents morts. Elle se voyait parfois comme un être qui portait le poids de l'histoire. Longtemps, elle culpabilisait sa mère d'avoir laissé la terre où elle était née, de s'éloigner de ses racines. Elle voulait revivre cette enfance qu'elle n'a pas connue. Regarder les chemins qui serpentaient au milieu des arbres. Fuir, dit-elle. Elle savait que cela soulèverait en elle tant de souvenirs atroces qui s'étaient enfuis en elle. Elle regardait sa mère vieillir dans ce quartier qui l'avait vue grandir. Elle scrutait son dernier souffle de vie sur le lit de fer accolé au mur. La froideur de celui-ci couvrait son corps maladif.

Altagracia n'était pas la seule à avoir sur les bras un enfant. Dans son quartier, elle connaissait des femmes que leur mari avaient laissé pour avoir fait la putain ; d'autres qui étaient mortes dans les soulèvements de deux mille quatre ou ceux qui avaient été fauchés par le sida. Le jour où son mari est parti, elle hurlait comme une personne brûlée au visage. Elle était privée de cette saveur de vie. Elle pansait cette blessure laissée par un mari mort loin du pays. Bien que sans argent, elle n'a jamais voulu placer sa fille chez ses cousines qui vivaient dans les beaux quartiers. Elle craignait qu'on la maltraite ou qu'on finisse par faire d'elle une petite *Restavèk*.

Derrière la lueur vacillante de la lampe à pétrole, se cachait le visage de Mathilde. Les yeux plongés dans ce livre, elle lisait des batailles sanguinolentes, des villes brûlées sous les feux dévorants des armées et des coups portés par les ennemis. Parfois, elle écrivait des histoires qu'elle dédiait à sa mère couchée comme un mort sur son lit. La nuit, elle était saisie par des cauchemars qu'elle partageait avec sa mère. Quand l'aube se levait, la vieille femme la rassurait et lui interdisait de jouer la nuit avec son ombre sur le mur. Comme elle ne pouvait plus travailler, Altagracia se convertit en vendeuse à la sauvette dans les rues de Port-au-Prince, hurlant comme une bête ses produits alimentaires qu'elle portait dans un panier. Elle passait le reste de sa vie dans cette ville sans vraiment la connaître. Elle avait le sentiment de vivre dans un monde irréel et abstrait. Son mari ne lui avait rien laissé. Elle avait gagné sa vie par la force de ses bras. Ce matin-là, elle errait sur les routes et ses pieds poussiéreux suivaient les chemins de la vie, une vie nostalgique et heureuse qu'elle menait avec une espérance. Elle ne cessait pas de regarder le ciel lavé des giboulées et pensait qu'un jour elle serait là-haut avec Macélus, cet homme qui avait tant marqué leur vie.

S'IL FALLAIT QUE JE RACONTE DO
— *Sybille Claude* —

Les genoux de mon père étaient comme un banc dans un parc pour enfant. J'adorais m'y poser pour regarder passer les gens. Des paysans qui allaient et venaient au bord de la mer argentée par moment. Près d'un rocher, mes yeux malicieux d'enfant de ville plongeaient sans masque sous l'eau qui venait se nicher dans les bras des galets ivoire comme nulle part ailleurs. Je pouvais rester des heures accostée comme un bateau sur le torse de mon père à respirer l'odeur fraîche de l'eau.

Quand c'était les vacances d'été, mon père et moi, nous passions les journées ensemble. J'avais l'habitude de me réveiller très tôt le matin pour aller terminer mon sommeil dans son lit. Des fois, il faisait semblant de s'énerver mais je finissais toujours par avoir une petite place. La tête enfoncée dans son torse et ses bras enroulés autour de mon cou, je dormais comme pour me fondre dans cette cire d'amour paternel. Je dormais par peur de me réveiller un jour et de trouver le vide dormant au milieu de son lit. Il dormait toujours au milieu du lit. L'odeur du café de tante Rita avait la magie de nous faire sauter du lit sans rechigner, sans paresser. Un café très noir et toujours trop sucré. Venait après, le petit déjeuner composé de bananes bouillies bien couchées dans une sauce de poissons qui brûlait mes narines et faisait jouir mes papilles. Autour de la petite table en acajou fait maison, c'était la bonne humeur apportée par la nourriture et les blagues de Do. Il s'appelle Dominique. Je faisais en sorte de finir ma nourriture avant lui pour pouvoir partager la sienne. Le poisson, ce n'était jamais assez pour moi. Que c'était bien d'avoir un père comme lui. Je ne pouvais pas imaginer une vie sans lui. J'aimais tout ce qu'on pouvait faire ensemble à l'époque. Cela pouvait être un banal jeu de toupie ou la natation. J'ai appris à défier les vagues sur son dos. Mon père était pour moi comme Batman pour un gamin de cinq ans. Je faisais tout pour lui plaire. Il remarquait et partageait tout avec moi : une odeur de bois fraîchement coupé, une plantation de bananes qui était plus verte la semaine d'avant, les cocotiers qui étaient toujours un peu plus haut près de l'embouchure. Et moi, j'étais réceptive comme une touriste en visite guidée. Après ces moments d'éducation à la beauté de la nature, on allait toujours se tremper dans la rivière qui régnait sur les arbres, les oiseaux et les campagnards. La musique de l'eau, je l'entends encore douce, apaisante et rafraichissante. Moi, c'était la beauté de la chute qui me saoulait. Il y avait de l'eau qui coulait sur une petite pente, c'était là que j'allais ruiner mes petites culottes qui ramassaient toutes les mousses vertes et je glissais ensuite pour tomber dans les bras robustes de mon père.

J'ai chanté l'alphabet sur les genoux de mon père. J'ai pris les chiffres dans mes filets sur les genoux de mon père. Même après une bonne fessée, je me réfugiais sur les genoux de mon père. Ses grosses mains qui donnaient les tapes, les mêmes qui faisaient disparaître mes larmes comme par enchantement.

J'ai une image bien ancrée dans ma boîte à souvenirs. Mon père planté dans le sable jaune, immobile, les yeux scrutant un point bien précis de l'eau. Il pouvait rester ainsi plusieurs minutes d'affilée. Et moi qui ne comprenais rien, je lui demandais avec ma curiosité d'enfant : Mais pourquoi tu regardes la mer comme ça ? Tu attends le requin magique et gentil ? J'avais gavé son histoire de requin magique qui me faisait obéir quand je ne voulais pas aller dormir. Je pouvais être sage comme une image. Il fallait seulement me promettre d'aller regarder ce requin qui habitait mon imagination. Il voulait posséder l'océan. Faire entrer toute cette eau dans son gros ventre. Avec l'oncle Serge, nous faisions de la pêche. Nous avions l'habitude de partir tôt parcourir la mer et revenir avec des variétés de poissons que mon père s'enorgueillissait d'avoir pris. C'était absolument magique. Un jour, j'étais allée à la mer avec ma cousine Santa, sans que mon père le sache. Il y avait beaucoup d'enfants qui nageaient comme des poissons. Ils partaient si loin que je voulais y aller aussi, découvrir la mer sans papa, comme une grande. Je ne savais pas encore que nous les citadins étions plus des animaux des rues que de l'eau. Les ruraux ont pris le naturel et nous ont laissé avec notre vie de fer et de bruits. Je voulais nager et j'ai failli y rester. J'avais commencé par perdre pied et j'avais ingurgité une bonne quantité d'eau salée. Ce jour là, un jeune homme dont je n'ai jamais su qui c'était m'avait sauvé la vie. J'avais appris que si mon père disait non, c'était pour mon bien. Peu de temps après, l'eau m'avait encore appelée, cette fois, ce n'était pas la mer mais la rivière. Et j'étais allée piquer une tête à l'insu de mon père. Filer en douce me faisait me sentir grande. C'était un dimanche. Les jeunes s'étaient donnés rendez–vous à Bassin Paille. Pendant que mon père, mon grand-père et tous les oncles jouaient aux cartes sous la tonnelle par un temps de forte chaleur, moi, je me rapprochais petit à petit du portail fait de feuillages de cocotiers et de bambous jusqu'à disparaître comme la fumée du cigare de mon oncle Serge. Cette fois encore j'avais payé ma désobéissance au prix fort. J'avais reçu un jet de pierre sorti de nulle part en pleine figure. Là, j'avais un problème. Comment rentrer sans que mon père ne remarque cette vilaine boulette qui s'était formée en plein milieu de ma tête, bien évidente, comme si cela voulait dire : — Do, regarde ta désobéissante fille qui a reçu un bon coup de pierre ! Bien fait pour elle ! Ce dimanche-là, c'était comme si je n'avais pas fait la prière qui servait à rendre mes fautes invisibles aux yeux de mon père. Dieu s'était enfui pour aller rire de mes petits pieds qui dansaient toutes les danses du monde sous la musique des dix coups de fouet.

Je ne manquais pas d'amour dans mon monde de petite fille. J'étais choyée et protégée. Petite princesse dans un château de bonheur. Je me rappelle de ce jour où je m'étais coupée la cheville gauche pendant que je courais. J'avais palpé la douleur sur le visage de mon père. Ses yeux étaient devenus rouges comme le sang qui se sauvait de mes petites veines, tel une adolescente en fugue. On aurait dit que ma douleur était tombée sur lui. J'étais blessée mais c'était lui qui souffrait.

Au beau milieu des vacances, je ne pouvais pas m'empêcher de penser à l'école et tout ce qui viendrait avec elle. Se lever tôt. Mon père qui marche à un rythme que je ne puis suivre pour ne pas arriver en retard à son travail. Les leçons que je vais réciter tard le soir en me frottant les yeux lourds de sommeil. Et lui qui va crier : — Va étudier, ce n'est pas bien su. Ce perfectionniste qui exigeait que je fusse toujours première de classe. Je pouvais déjà regretter le goût des jours sans uniforme. Mon père avait toujours le nez collé à des pages de livres et moi je devais lire dans ses livres pour adultes.

En grandissant, Dominique était plus sévère avec moi. Il était câlin, aimant mais lourd parfois. Il m'empêchait, disait-il, de faire des bêtises. Moi, je voulais faire des choses que faisaient les filles de mon âge. Je n'avais jamais dit que je voulais faire ces bêtises qui dans sa tête tournoyaient peut-être. Je ne voulais pas franchir son mur de la droiture. C'était le papa qui faisait peur aux garçons. Le papa-maman qui rangeait mes vêtements et faisait autres trucs de maman. J'étais sa lumière, son soleil, sa chaleur. Et dehors, c'était la noirceur, le mal, le froid. Des ténèbres où il m'empêchait d'aller me perdre. J'étais la mince vie de mon père. Il aurait tout donné pour que je sois toujours contente. Il disait toujours : Un sourire ma fille, cela ne va rien te coûter. Il essayait toujours de rallumer la flamme sur mon visage boudeur après une de ses innombrables interdictions. Il voulait me faire oublier que j'étais coincée dans un monde de non.

— Je veux porter cette mini-jupe.

— Non

— J'aimerais réviser chez une amie...

— Non

Aujourd'hui encore, il me dit non avec son regard fuyant qui cherche une réponse et une protection dans les nuages pour sa fille. J'ai compris que je l'aurai sur le dos toute la vie. Un père comme lui, ça se porte. C'est mon tyran, mon ami, ma nounou qui s'occupe très bien de moi, qui fait mon thé tard le soir, qui range la couverture sur mes jambes pour les protéger du froid. Il lit encore mon journal intime en cachette. Je le sais parce qu'il n'est pas du genre à se soucier à remettre de l'ordre derrière lui. Il ne remet jamais le petit cœur rouge à la même page. Des fois, je me dis qu'il est peut-être magicien ou devin. Il lit dans mes pensées et anticipe mes phrases. Il me connaît comme sa poche. Ma vie sans lui serait un ciel déserté par sa lune et ses étoiles. Il a toujours fait en sorte que ma vie soit pleine de couleurs. Une vie de conte arabe. Lui, le magicien et moi, la reine des rêves. Si j'avais à emmener une seule personne sur une île lointaine, je prendrais sûrement Dominique. Je l'emporterais avec sa lourdeur, ses niaiseries et son océan d'amour pour que je n'en manque jamais. Je n'ai été séparée de mon père que quelques fois. Deux ou trois fois. À chaque fois, c'était moi qui partais pour le laisser effondré, triste et dépourvu d'une part de lui-même. Je ne pouvais jamais terminer un séjour en entier. Je revenais toujours avant l'heure pour pouvoir être dans les bras de Dominique. Enfant gâtée, oui, je l'étais. Fille à papa, je le suis encore. Lui, ne partait jamais sans moi. Quand il devait partir pour son travail, j'y allais aussi. Personne n'était assez bien pour veiller sur sa fille. Pas même tante Jose, sa sœur préférée.

Je me souviens encore de nos randonnées, dans les montagnes vertes de Jacmel. On escaladait les montagnes à en perdre le souffle. Les promenades et les glaces au bas de la ville. Un nouveau film qu'il avait acheté pour qu'on puisse le voir ensemble vendredi soir. C'était comme un rituel. Tous les vendredis soirs, j'avais droit à un nouveau film. L'aventure valait toujours la peine aux côtés de mon père.

Dominique, c'est un artisan de la vie qui continue de tisser mon histoire avec des fils dorés. Les fils gris pour sa broderie et moi j'ai toujours eu droit aux couleurs les plus vives. Je m'estime chanceuse d'avoir un père comme lui. Il a toujours été présent et aujourd'hui encore il est là. Il me protège. C'est le genre de père qui est prêt à payer un billet d'avion, juste pour aller déposer un baiser sur le front de son enfant et lui dire : — Tu sais, tu es la meilleure chose qui me soit arrivée. Tu es mon trophée ! Je suis fier, tellement fier.

LETTRE À ALEX
—— *Louis-Philippe Dalembert* ——

J'aime l'idée de t'écrire tandis que tu dors dans ta chambre à côté. L'impression de veiller sur ton sommeil comme j'aimerais le faire tous les soirs. Peut-être me reprocheras-tu plus tard d'avoir été souvent au loin. Petit, tu pointais du doigt le téléphone sonnant et disais « papa », même lorsque j'étais là. Un étrange raccourci qui me remplissait à la fois de gêne... et de bonheur, à entendre de ta bouche, même à rebours du sens, ce mot que je n'ai jamais dit. Peut-être, après tout, considéreras-tu les moments passés ensemble suffisants de tendresse, et mes absences comme autant d'espace de liberté pour déployer tes ailes jusqu'à ton propre envol. Je ne sais pas. Je sais seulement le manque de ta présence quand je suis au loin. Je sais, dans ces moments-là, mes doutes et ma culpabilité. Eh oui, un père, ça doute et culpabilise aussi, lors même qu'il (te) semble plein d'assurance. Je dis « un père », comme si je savais pour tous les pères du monde. Or je n'en sais rien, n'ayant rien reçu de ce côté. L'un de mes doutes reste d'ailleurs celui-là : que transmettre quand on n'a pas reçu ? Quand il faut inventer soi-même la paternité ? On en parlera un jour quand sera venu pour toi le moment – s'il vient, je te souhaite en tout cas de connaître cette joie sans nom – d'être père à ton tour. En attendant, je profite de ton sommeil pour t'écrire deux ou trois choses que jamais peut-être je ne te dirai de vive voix. (Par pudeur. Ou parce que tu te seras construit ta propre vision du monde. Ou bien j'aurai tout bêtement oublié.)

Tu es né à la croisée de tant de mots, de tant de carrefours. De tant de carrefours... de l'humain et du monde. D'amour à foison aussi. La géographie de ta vie est faite de séismes contraires, de montagnes ici enneigées et verdoyantes, là chaudes et nues, d'odeurs qui jurent et s'emmêlent d'un même élan. D'histoires qui se chahutent avant de s'inventer une utopie commune. Par moments, il me vient de comparer ton enfance à la mienne et, comme tout bon parent – moi encore plus, orphelin de ces droits qui restent aujourd'hui encore, sous tant de cieux, des privilèges –, je ne cesse de radoter, de te dire ta chance de manger à ta faim, d'avoir un toit sur la tête, de pouvoir voyager, aller à la rencontre du vaste monde. À ton âge, je ne connaissais d'autres ailleurs que ceux de ma ville natale, et de couleurs lointaines que celles dessinées par mon imagination en regardant du sommet de ma rue les bateaux, margouillats obèses, quitter la baie de Port-au-Prince. Je viens en effet d'une enfance de mille manques et absences – celle du père n'en fut pas la moindre –, mais où l'amour jamais ne manqua.

Aussi, plus que tout autre legs, j'espère t'avoir donné autant d'affection que j'en ai reçu dans mon enfance, fournie en abondance par ces femmes, mes anges tutélaires, qui ont veillé et prié sur ma vie jusqu'à leur dernier souffle. C'est cela que je voudrais, à mon tour, t'offrir en partage. Quand on a reçu de l'amour, devenu grand, on verse difficilement dans la haine. « La haine, écrit Hugo, c'est l'hiver qui s'empare du cœur. » Garde-toi donc de toute haine, même lorsque tu seras en proie à la colère – il existe bien sûr de saines et justes colères –, et trace ton chemin. Garde-toi aussi de toute méchanceté et de toute amertume, ces venins pour l'autre et pour soi.

Tu es né à la croisée de tant de carrefours. Plus d'un te mettra souvent en demeure de choisir telle ou telle voie, dans le rejet de l'autre. Ainsi va l'humain. Il faut choisir son camp, c'est ce qu'on te dira. Rassure-toi, ce ne sera pas lâcheté que de ne point t'engager sur l'une des voies que plus d'un te sommera d'emprunter. Cette voie, apparemment droite, n'est pas forcément la bonne. On sait – tu sais, toi qui corriges parfois mon accent italien – depuis au moins Dante que la *via dritta* peut se révéler *smarrita*. Si tu choisis celui du cœur et de la tolérance, celui de la générosité aussi, en un mot, celui de l'humain, tu seras toujours dans le droit chemin. Bon réveil, mon grand.

Paris, la veille de tes 12 ans.
Ton papounet qui t'aime

TERRES DE SILENCE
—— Marie-Josée Desvignes ——

Des deux rives du pourtour méditerranéen, les collines sont toujours les mêmes. Partout des amas de pierres, des milliards d'herbes sauvages sur une terre sèche et craquelée par le vent et le sel, accueillent la fragilité des fleurs violettes du thym, de la lavande, des artichauts sauvages et des chardons bleus. Au milieu de ce fracas de solitude et de lumière éblouissant nos sens, le souffle des saisons s'appuie sur la nudité du silence.

Le chant des oiseaux, celui du rossignol peut-être, porte une promesse d'éveil, une aspiration au ciel, à l'unicité. Nos lèvres gercées, nos yeux humides, nos joues empourprées par la brûlure du soleil appellent l'eau du ciel plus fort que celle de la mer dont le sel parachèverait bien la meurtrissure du cœur. Dans le souffle aérien des terres brûlées de la Méditerranée, celles de l'Italie et ses terres antiques, la démesure perd sa crédibilité sauf à se laisser bercer par l'azur et la lumière écrasante. Tout l'espace ici est à la mesure de l'homme, dans la simplicité de ses désirs les plus frustres, les plus sereins aussi.

Dans la flamme de l'été, je lis encore ces langues de terres jusqu'aux longues jetées frottées par le mistral et la tramontane, ces ciels immenses. Chaque nuit, j'enjambe des cadavres d'étoiles, des flaques de soupirs dévoilés, j'avance sur des digues étroites, des murets fragiles, en équilibre instable, un pied devant l'autre, lentement pour ne pas tomber. D'autres lieux extraordinaires surgis des songes rejoignent ceux d'un lointain fantasmé : terres brûlées par le soleil, lumières et ombres dans le couchant, cris, silences, musiques inconnues, paroles étranges, jusqu'à ces lieux secrets auxquels nous n'avons

jamais eu accès. Anamnèses salées,
pleines et savoureuses, ou pierres lour-
des roulant dans les replis du cœur,
traces à l'encre indélébile.

Chaque exil est une pierre incrustée
dans le cœur des hommes dès lors qu'ils
craignent pour leur liberté. Dans le crépuscule ou à l'aube, ils sont parfois
contraints de partir, laissant tout derrière eux. Ils quittent une terre, une
culture, des habitudes de vie et alors ils
ne savent pas. Que, lancés dans l'espace, ils seront projetés dans un monde
sans attaches, sans nécessité d'être, en
oubli d'eux-mêmes et de leur naissance.
Pour échapper au destin, il leur faudra
sentir sous leurs pieds une terre accueil-
lante. S'ils ne la trouvent pas, alors, ils
renonceront parfois à appartenir, à être
d'une histoire, d'un lieu, d'une langue et
parfois même d'une famille.

Nos mémoires sont emplies de mur-
mures de fantômes. Aucune parole, aucune aube, aucune musique consola-
trice n'épuisera jamais les larmes qui
s'écoulent de la nuit de l'absence.

Il faudrait dire avec des mots ciseaux
pour tailler le silence, des mots oiseaux

évadés des cages du souvenir, mais du fond du puits obscur, l'âme soupire et retient son souffle. La transcription au gré du hasard se fait d'encre trop empesée, se dépose telle un limon sur les rives du cœur, la sarcle d'abîme et de mélancolie, retournant la herse des sentiments. Des fantômes de chair dansent sous nos paupières. Nos yeux scrutent en vain dans le noir, nous tendons l'oreille, nos mains cherchent appui. Seuls les mots avec leur mystère nous tiennent debout dans le passage du temps. De ma mémoire parcellaire dont très peu de souvenirs ont émergé, tout n'est que sensorialité ; émotions, sentiments, flots brûlants continus où se mêlent un imaginaire bavard et embrouillé, difficile à canaliser. Le soulèvement que l'accumulation de silence a généré en moi est de ceux qui ne peuvent être contenus, c'est un volcan très tôt réveillé et sous pression. À sa maturité, une lave brûlante, un débordement incompressible. Je suis, à ton image, mon père, un torrent bouillonnant qui menace sans cesse de déborder mais je suis aussi, fille de l'Etna.

J'ai passé des heures à creuser le sillon des souvenirs, à essayer de faire parler ma mémoire. Pour m'apercevoir qu'au fond, celle-ci est bien plus composée de tout ce que j'avais oublié que de ce dont je me souvenais. Avec le temps, les silences se sont faits plus lourds, rien n'est venu combler les vides qu'ils creusaient. Et au fil du temps, j'ai découvert que subsistaient, suspendus au fil de ma mémoire, les restes d'une langue, désertée ou refoulée, des routes escarpées, des chemins de montagne, un air plus pur que celui que nous respirions et qui t'a tellement manqué, des êtres de la même famille que nous, plus étrangers que les étrangers qui arpentaient nos quartiers cosmopolites. Le tissage de nos vies se faisait au contact des autres. Au fil du temps, ces autres, j'ai cru qu'ils ne m'étaient proches que par le fruit du hasard. Mais ces personnes rencontrées sur ma route, de manière fortuite, dans lesquelles je retrouve parfois un bout de moi, un bout de toi, des yeux noirs profonds, des cheveux très épais et très noirs, me disent alors beaucoup sur mes origines. Longtemps je suis restée étrangère aussi à cette langue âpre en moi, jusqu'à ce que – la maturité aidant, et dans un mouvement inverse, qui veut qu'au lieu d'avancer, je me suis mise à reculer – dans une descente au plus profond de moi, je suis partie à la rencontre de ce sentiment d'appartenance jusque-là ignoré qui réclamait sa soif. Je devais retisser cette trame muette où s'étaient incrustés bribes de souvenirs, éclats de voix aux accents rauques ou suaves, traces d'émotions plus ou moins joyeuses.

Je ne savais pas que même sélectifs, nos souvenirs gardent la prégnance des émotions qui les portent, que certaines parfois viennent de plus loin que nous, qu'ils sont pétris de celles de nos géniteurs, de nos ancêtres, de leur expérience de vie, leurs traumatismes aussi.

Alors quand la mémoire se remplit de trous, à la lueur des peurs ancestrales, des hontes refoulées, je recompose tout un monde jusque-là déserté aussi.

Un mistral furieux fouette les vagues qui viennent se fracasser sur les rochers. – Viens on va à la jetée. La houle est forte toujours, à cet endroit. Chaque jour, matin ou soir, tu te postes là. Souvent seul. Avec moi quelquefois. Partage d'instants uniques. Tout autour de nous, le silence et la douceur de l'aube ou de l'aurore, la fraîcheur des embruns, presque toujours un froid saisissant quelle que soit la saison à cause du vent d'ouest. Un peu plus loin, des cris montent des chalutiers au large. Près du port, trois hommes dans une petite barque, des pêcheurs aux calens. – Regarde, ils remontent la daurade et le muge, on ira manger la poutargue tout à l'heure, tu veux ? On ramènera des sardines à ta mère, la poutargue, elle aime pas ça, elle ! Tu souris, tes yeux se plissent un peu, à cause du soleil. – Tu le vois le fort Vauban, là-bas. Encore une fois... Elle te fascine cette tour carrée en pierres apparentes entourée de remparts, fortification bastionnée surmontée d'une tourelle cylindrique avec, tout en haut, son phare de trente-deux mètres, qui surplombe un îlot rocheux, reliée au loin par un bras de terre. – C'était un fort d'armes, tu sais, une prison pour les internés politiques mais aussi,

c'était une tour de garde, pour sur-
veiller la ville... Je t'écoute, méfiante,
c'est vrai ? Et pardi, si je te le dis !... tu
me crois pas, tsss, on t'apprend rien à
l'école ? En face, plus loin encore,
d'autres grands navires, hauts comme
des monuments dans la brume des fumées polluantes des usines pétrochi-
miques. Et l'écume toujours qui n'en
finit pas dans le tranchant des vagues,
de rouler dans la lumière argentée...

Et moi, je cours sur les galets, pieds-
nus, en criant avec les mouettes, les
bras grands ouverts, puis je me retour-
ne, je t'appelle, sautillant au-devant de
toi. – Cours pas, tu vas tomber, et mets
tes sandales, vite ! Et je tombe, je ris, je
me relève, je ne remets pas mes sandales, les tiens au bout de mes doigts.
Je repars, battant des bras, bondis-
sante toujours, légère, toujours légère,
une plume. – vaï, t'as pas mal au pied,
toi, tu es légère comme une plume.

De mes toutes premières années, de ce
temps où l'innocence était sœur de l'ig-
norance, ce temps où je ne savais rien,
où savoir ne m'intéressait pas, où rien
n'existait que l'amour, je n'ai rien

perdu. Peu importe alors qui m'en donnait ou pas. Toi, tu étais là. Je cours sur les galets et tu marches derrière moi, d'un pas tranquille mais sûr, des sourires plein la tête et le cœur. De tous mes souvenirs, la mer est le réceptacle, et aussi celui de mes humeurs, de mes interrogations et mes premiers chagrins.

Le soleil est presque couché, nous marchons maintenant sur le sable tiède, la plage est déserte, les vagues se sont apaisées dans le soir d'été finissant, à flanc d'eau et de sel. On se perd dans l'horizon voilé d'où tombe une brume épaisse, condensation de plusieurs journées trop chaudes. Pas un bruit dérangeant, sinon le cri des oiseaux, un gabian, un moineau, l'aboiement d'un chien au loin, un criquet dans l'herbe du talus. Quand les cigales se taisent soudain dans les pins, nous n'aimons toi et moi que ces silences-là.

MON PÈRE, CE HÉROS*
— *Yanick Lahens* —

La maison est au bout d'une allée d'hibiscus, toutes portes et toutes fenêtres ouvertes. Un air de ragtime à la mode depuis quelque temps sort du cornet d'un gramophone posé sur un guéridon à un angle du salon. Dès les premières notes, je tourne dans ma robe bleue. Je bouge les pieds en riant. Tape des mains. Me dandine de droite à gauche. Une femme quitte son fauteuil, déroule son écharpe de soie, se défait de son tricot léger et me rejoint au milieu des meubles du salon. La femme exécute les mêmes mouvements que moi. Mais plus discrètement. Depuis qu'elle m'a rejointe, je ris de plus belle encore un peu et mes poumons vont éclater, mon cœur se détacher et tomber à mes pieds.

Assis dans un fauteuil en rotin blanc, dans l'embrasure de la porte, un jeune homme abandonne de temps en temps la lecture du livre qu'il tient à la main pour nous regarder danser. Il sourit. Vêtu d'un costume en alpaga blanc, un homme nous observe lui aussi, mais de la véranda, un peu plus loin. Il se balance tranquillement sur une dodine et, derrière des volutes de fumées, nous fait un signe de la main. Son visage est moins émacié que celui du jeune homme mais ils ont les mêmes yeux marron clair, couleur tamarin. L'ébène de leur peau en fait davantage ressortir l'éclat. Sous leurs regards, je deviens soudain plus vivante, plus lumineuse.

Quelques minutes plus tard, je quitte la maison en sautillant et me dirige vers le jardin. À mesure que s'éloigne la musique du gramophone, je fredonne tout bas l'air de ragtime. La musique me poursuit pendant un moment. Je cours dans l'herbe, tourne à nouveau sur moi-même, bougeant les bras d'avant en arrière jusqu'à être prise d'un léger vertige... Et soudain, quelque chose comme une force obscure et gaie me prend à revers et change mes rythmes. J'ôte mes chaussures, mes chaussettes blanches et j'essaie de retrouver les mesures d'une autre musique, celles d'autres gestes scandés par un tambour et entrevus quelques semaines auparavant dans une clairière retirée, à Rivière Froide, là-bas dans un faubourg de la ville. Genoux pliés, j'arrondis les épaules, j'ondule le dos et avance à petits pas à peine saccadés. Je m'accroupis jusqu'à toucher le sol et bouge sans jamais m'arrêter. Au bout d'un moment je ne danse plus, c'est la danse qui me traverse et fait battre mon sang.

L'homme au costume d'alpaga blanc me suit des yeux. Depuis quelques secondes. Je ne le sais pas encore. Sans me quitter un seul instant du regard, il éteint sa cigarette, se dresse sur son siège puis avance vers moi. Les veines de son cou se gonflent à mesure qu'il me regarde. Il marche de plus en plus vite. Très vite même. À quelques mètres de moi, il court à toutes jambes, me rattrape et s'abat sur moi comme une torche dans un champ de canne. Il me tient brutalement par les épaules, me crie d'arrêter tout de suite cette danse... maudite et me gifle.

Je commence par crier très fort. Puis, je gémis tout bas en me couvrant le visage des deux mains. Au milieu des pleurs, je sens la lente montée de la honte. De la colère aussi. Elles se déversent dans ce qui est déjà ma souffrance la plus lointaine. Je me couche sur l'herbe. Pendant des secondes qui me semblent devoir durer toujours. Puis l'envie me prend tout à coup de mourir tout de suite, là sous leurs yeux, la joue contre l'humidité de la terre.

Au loin, la musique du gramophone tourne encore. Dans le vide cette fois.

La jeune femme a suivi la scène de loin, pétrifiée. Elle se dirige vers moi en courant et m'entoure de ses deux bras. Dans l'embrasure de la porte, le jeune homme a quitté son livre et à pas précipités nous rejoint.

À l'intérieur de la maison, la musique s'est soudain tue. Puis la nuit des tropiques est très vite tombée. Une vieille femme, de forte corpulence, le dos légèrement voûté, les cheveux noués dans un madras, ferme une à une les portes et les persiennes. Elle jette de temps à autre un coup d'œil sur le jardin et marmonne entre ses dents.

L'homme vêtu de blanc est mon père. La femme à l'écharpe de soie, c'est ma mère, le garçon de vingt-deux ans, mon oncle, le jeune frère de mon père. La vieille femme, c'est Man Bo, notre servante depuis toujours. Nous sommes le 22 janvier 1942 et moi, Alice Bienaimé, couchée sur l'herbe dans ma robe bleue, je viens d'entrer dans ma treizième année.

*

En avant de cette image, il n'y a pas de commencement. L'image est centrale. Elle est le mitan de ma vie. Elle résume l'avant et éclaire déjà l'après. Mes amitiés, mes amours, mes attentes et mes chagrins, tout va se dérouler dans sa lumière ou sous son ombre. Mon père, ma mère, mon oncle, Man Bo, nous serons tous scellés, emportés par cet événement comme dans un seul mouvement de notre sang. Moi plus que les autres.

Je suis née de cette image. Elle m'a mise au monde une seconde fois et je l'ai enfantée à mon tour. Quand elle disparaîtra de ma vie je mourrai de faim. Je mourrai aussi de ne plus la nourrir. Ce sera ma mort vraie. La seule dont je voulais que l'on se souvienne.

*

On n'oublie pas, on n'oublie jamais.

Au milieu des pleurs, j'entends encore ma voix comme un fil qui se brise. L'incident m'a déjà basculée vers mon avenir. Plus tard, je danserai ma vie tandis que le souvenir de mon père deviendra plus brûlant que la douleur sur ma joue.

Il y a aussi ma mère. Agenouillée à mes côtés dans l'image. Elle s'est toujours penchée sur ma vie, sur mon berceau, sur mon enfance. Elle a tenu mon adolescence à bras-le-corps. Elle s'est mise en tête de paver ma route d'ylang-ylang et de jasmin. De peur que je ne me blesse. De peur que je ne me fasse mal en tombant : « Autant t'aimer tout de suite. Tout le temps. »... Elle le fera dans une préférence absolue.

Entre mon père, ce héros magnifique et lointain, et ma mère, je suis ballottée d'un trop peu à un trop-plein de tendresse. Et je m'accroche à mon oncle comme à une planche de salut. Il m'enseigne, et je le crois, qu'il faut savoir entendre l'appel des hommes, des femmes et des choses, que la vie est pleine d'images brillantes, que c'est un incendie à allumer au risque de s'y brûler.

Et comme dessinés dans les lisières d'un même rêve, je revois Thérèse mon amie-jumelle, Lise Martin Boural l'initiatrice et Edgard cette musique douce dans mes veines. Une musique perdue, jamais oubliée.

Debout au milieu d'eux, Man Bo, telle une vigie, vieille au seuil de ma vie.

Le souffle de ces mots leur doit tout. Dans ce souvenir, où nos vies se sont mêlées et défaites, tient la constellation de l'enfance.

*Extrait de *Dans la maison du père*, Port-au-Prince, Mémoire, 2000, pp. 7-12.

— TIGA, MA CICATRICE —
Jean-Robert Léonidas

C'était dans les années heureuses de mon enfance. Mon père était maire de Jérémie. L'hôtel de ville se dressait prestigieux à la rue Destinville Martineau. La même artère hélas sert aujourd'hui de déversoir aux eaux pluviales qui dégringolent des hauteurs dénudées de la ville pour s'engouffrer à l'entrée du wharf et la bloquer d'une épaisse couche de gadoue. Papa s'habillait en costume cravate pour aller au travail. Un caporal l'y conduisait tous les matins dans une voiture brune au nickelage abîmé. Le maire s'installait au côté droit du siège arrière, la place du chef. Il ne trônait pourtant pas sur la cité tel un coq à la cime d'un cocotier.

Bien au contraire, accessible au plus humble, il avait l'humour facile et le cœur sur la main. Il prenait plaisir à aller à pied pour être plus près des administrés. Mais son plus grand bonheur, c'étaient ses randonnées à cheval quand, en fin de semaine, il se libérait des contraintes de la ville pour s'évader au galop dans les campagnes de la Grand-Anse, surtout dans la fraîcheur du quartier rural de Tiga.

Alors, en costume d'équitation, il plongeait le pied droit dans l'étrier puis, d'un geste semi-circulaire de la jambe gauche, balayait l'air et enfourchait son cheval. La monture démarrait en trombe pour s'arrêter net à l'angle de la rue Hortensius Merlet et de la rue de l'Eglise. Mon père saluait mes frères aînés qui devisaient sur le perron du coin. Le cheval gardait les pattes de devant en l'air pendant un bref instant, dansait à droite et à gauche en sens inverse du fouet qui lui caressait les cuisses dans un mouvement alternatif. Des applaudissements saluaient l'exhibition imprévue puis fumante de fierté, la monture négociait la courbe dans un élan de joie. Mon père se découvrait devant la Cathédrale Saint-Louis et bientôt, en quelques minutes, *tagadap, tagadap*, il rejoignait la verdure luxuriante de la campagne toute proche, en direction de Tiga.

C'était un rituel que je connaissais bien. À tous les coups, en période de vacances, je sortais de la maison, et debout sur la galerie du numéro 38, rue Hortensius Merlet, j'admirais mon père qui s'adonnait à l'équitation, son sport de prédilection. Il m'emmenait visiter les bateaux du port pour m'exercer à avoir le pied marin. Il me prenait surtout sur son cheval pour un petit tour de quelques minutes où j'acquérais l'élégance équestre et l'équilibre de l'écuyer.

À 10 ans, j'avais déjà mon cheval et nous voici à deux, papa et moi, nous dirigeant vers Tiga situé à quelques kilomètres du centre-ville. Nous allions visiter un vieil ami à lui, Maître Camille Cassamajor qui, mal à l'aise en ville, « dégouté des astuces et des coups bas citadins » pour répéter mon père, avait pris le chemin de la campagne, cherchant un sûr refuge dans la paix, la tranquillité et la douceur de la solitude.

Tiga, quartier rural à deux syllabes, était juché à l'ouest de la ville, sur l'itinéraire du soleil. Les rayons du matin le réchauffaient longuement avant de balayer les quartiers de Paroti, de Tozia et de Carrefour-Sanon. Tiga partage son nom avec un peintre haïtien, un peintre de la Montagne, un peintre de chez nous qui avait voulu sanctifier le Soleil avant de faire ses derniers adieux à la vie. La montagne était toute proche. Elle était recouverte de milliers de bulbes à fleurs, plantés par je ne sais quelle main d'horticulteur. Les blanches jonquilles et les amaryllis orange y pullulaient tellement que les paysans de la zone les considéraient comme des onions inutiles, de mauvaises plantules qui avaient l'air de supplanter les ignames et les patates douces. Les racines d'arbres géants plusieurs fois centenaires retenaient la terre accrochée en hauteur. Un ruisseau cherchait patiemment son lit. L'eau filtrait lentement sous la terre en une musique majestueuse. Elle progressait parfois en un rythme plus rapide, retenue par les racines aériennes de quelques palétuviers. Elle glissait entre les rochers aux dents rugueuses qui empêchaient bêtes et enfants de s'aventurer en amont. Elle poursuivait sa route entre les halliers et les herbes sauvages, protégée d'une clôture faite de main d'homme. Il fallait protéger cette richesse comme en un coffre-fort : autrefois, les enfants du pays vouaient un sacré respect aux biens culturels et aux forces de la nature.

— Bonjour Camille. Bonjour Barthold.

— Comment vas-tu Roro ? Bonjour Tonton Camille.

Trois chaises à bascules, trois *dodines* nous attendaient dans la brise du matin. Comme les trois tentes de l'Évangile, une pour papa, une pour tonton, une pour moi. Le paradis terrestre était réel. Un manguier des îles balançait ses branches au milieu de l'avant-cour. Parmi quelques fleurs d'arrière-saison, des grappes de mangues jaunes et vermeilles titillaient mes yeux d'enfant, excitaient mon appétit de gourmand. Mon père ne se le laissait pas dire même une seule fois. Il était bon manieur de *fistibal*. Il décrocha la fronde qui pendait à un clou du mur. S'armant de quelques galets blancs rassemblés dans un bol émaillé cabossé, il visa les grappes à sa portée. Après deux ratages, il tomba dans le mille. Plus rapide que le vent, je me précipitai sous la pluie de fruits et reçus une pierre en plein dans le crâne. Attention Roro. Il était trop tard. Le sang gicla, éclaboussa ma chemise bleu pâle. Rien ressenti. J'avais le sang chaud. Un pansement sommaire compressait ma blessure. Ma seule anesthésie était la douceur de ces *mangos-yil*, ces mangues des îles qui me saoulaient et me servaient d'analgésiques. J'en prenais à en dormir et je m'allongeai sur la natte de paille sèche avec une dernière dans la bouche.

Jusqu'à présent, à la manière d'une tonsure, je porte une cicatrice au beau milieu du cuir chevelu. J'héberge en mon cœur le souvenir ineffaçable de Tiga. À chaque fois que je me brosse les cheveux, un double rappel de bonheur et de malheur me saisit de la tête au pied. Le souvenir de mon père. Un appel au retour. O Tiga, mon bonheur, Tiga ma blessure, Tiga ma cicatrice.

—— PATERNITÉS ——
Stéphane Martelly

Il y avait ce silence
dense
qui se penchait vers moi pour me tenir
la main

Je suis montée sur tes chaussures
pour apprendre à danser
L'odeur de cologne se mélangeait
à celle du tabac brulé
sur tes chemises

Et quand tu étais fâché
tu toussais et te raclais la gorge

Tu tentais de lever le pied sur la pédale

et de baisser les yeux sur moi
Il me fallait trouver une douceur que tu
n'avais pas eue
Il fallait m'enseigner les mathématiques
Pour que je sois ton héritière
ta descendance virile
mais faillie
qui saurait   tout de même
te relever
et te soigner   quelquefois

un bâton de vieillesse
qui te ferait marcher
qui te ressemblerait comme une petite
sœur

Il y avait tous ces cris que tu retenais
dans ton corps
Comme ces terreurs que tu n'avais pas
eu le droit de nommer
Ces émotions encombrantes dont tu ne
savais que faire
à part la colère
parce que personne ne t'avait appris à
porter la douleur
                              ou
l'amour
sans crier

ou sans que ton cri retenu ne dépose un
masque   sur ton visage
sur ta barbe
sur l'aide dont tu n'avais pas besoin
mais que tu déposais sur moi

Pourtant tu prenais mes mains
pour traverser la rue
dans ta tendresse à reculons

mal équarrie
Tu étais fier
de mon savoir te tenir tête
Et tu savais t'inquiéter
émerveillé
de mon cœur intrépide
qui traversait tout seul
des nuits
que tu ne connaîtrais jamais

Je n'ai pas de récits de qui était mon
père
Juste une présence suffisamment forte
et obscure
pour que je veuille être une femme

seule à marcher
seule à guérir

suffisante seule

dans un monde
épuisé

LA NUIT DE L'OMBRE
— *Dieulermesson Petit Frère* —

Je n'ai jamais eu de bons rapports avec mon père de son vivant. Cet homme bourru, arrogant et autoritaire comme lui seul, je ne l'ai rencontré qu'à la fin de mes dix ans. Un soir de Noël, quelque part à la campagne, il pleuvait encore quand l'illustre inconnu m'a appelé, de sa voix grave, de l'autre côté de la route, pour me remettre un pli et un sac à dos. C'était un samedi. La nuit étendait déjà ses bras sur la plaine. Alors que je courais sous la pluie avec des amis du quartier, je me suis arrêté net et me mis à regarder dans la direction inverse. Nus pieds, torse nu, un petit caleçon me recouvrant le corps, trempé comme un canard, le temps de reprendre mes sens, il était là devant moi avec de petits mots tendres mais d'une brusquerie à vous faire trembler comme les branches d'un arbre sous l'effet du vent.

De grande taille, une casquette vissée sur la tête, les yeux enfoncés dans les orbites, il se baissa à la hauteur de mon visage et m'observa longuement. Il me demanda mon nom, ma date de naissance et me posa quelques questions sur mes progrès à l'école. Puis, il me tendit le sac à et un paquet à remettre à Man Luce. Au seuil de l'entrée principale de la petite maison à trois pièces et recouverte de tôles, elle assista à la scène. Après m'avoir serré dans ses bras, l'étranger me tapa l'épaule et disparut derrière les bayahondes.

Man Luce était une vieille femme très sympathique. Elle m'aima de tout l'amour du monde. Malgré ses soixante-seize ans, elle resta toujours gaie, joviale et travailleuse. Chaque matin, elle se leva à l'aube pour préparer le petit déjeuner dont le menu était toujours constitué de deux figues bananes, quelques tranches de pain au beurre d'arachide acheté à crédit à la boutique d'à côté et une tasse de café bien chaud. Aux premiers rayons de soleil, l'odeur fumante de son délicieux maïs aux épinards, cressons et d'hareng saur me coupait le souffle. Le ventre bien rempli, ma chemise bien repassée au fer à charbon, mes chaussures bien cirées et me voilà prêt pour l'école. Avant que ne sonnent les huit coups de cloche de la petite chapelle de Notre Dame, j'étais déjà dans la petite cour de la seule école communale de la zone, prêt pour la montée du drapeau.

En remettant le tout à Grand-Ma, je l'interrogeai sur l'identité de l'étranger qui a cité mon nom un peu plus tôt. Faisant mine de ne pas m'entendre, elle me demanda d'enlever le caleçon mouillé et me présenta des habits secs et propres. Elle alluma la petite lampe à kérosène, s'assit à l'extrémité droite de la table, me prit sur ses frêles jambes et se mit à parler comme une machine à remonter le temps.

C'était l'époque du Carnaval des fleurs. Un vendredi de juillet de l'année 1978. Jenny était arrivée à la maison avec ce jeune homme habillé comme il faut qui, au premier abord, n'avait pas du tout l'air sérieux. J'étais assise sur la petite chaise en paille, toute branlante, dans un coin de la vieille cuisine à préparer le souper. De loin, j'apercevais la silhouette qui s'avançait vers moi à un rythme régulier sur les pas d'une musique de noces. Enlacée dans les bras du jeune homme, Jenny avançait tranquillement vers moi. D'un geste assez courtois, elle me présenta Sanon Letragic, officier attaché à la garde présidentielle qui me salua avec révérence. Lunettes noires, jeans lavé, chemise à fleurs, trop correct dans ses gestes, trop respectueux dans ses propos, il ne m'inspira pas du tout confiance. Il avait l'air d'un homme marié et, de surcroit, père de famille.

En ces temps difficiles où chaque famille essayait d'être dans les bonnes grâces du grand Chef, je ne me fis pas prier pour accepter leur amitié. Mais au fond, j'avais des réserves. Je ne voulais pas de lui. La vue d'un homme à révolver me rappelait tellement de choses, mon petit Joe. Ce sont ces hommes en kaki qui, un après-midi de la Saint-

Jean, alors qu'ils revenaient de chez le curé, sous mes yeux, avaient criblé de balle le corps de ton grand-père. C'était juste sous la galerie. Tous les après-midis, en revenant du jardin, il assistait au coucher du soleil assis sur la petite chaise en regardant les passants. Après qu'ils l'eurent accusé de comploter contre le président, ils entrèrent dans la cour et se mirent à le frapper. C'est que grand-père n'avait pas le droit de s'asseoir à cet endroit-là au moment où ils faisaient leur contrôle de routine. Ils l'avaient pris pour un espion. Ils fouillèrent la maison de fond en comble. N'ayant rien trouvé autre que le vieux fusil de chasse, le chef du commando, un homme de grande taille, mince comme un balai, n'ayant pas l'œil droit, ordonna de l'exécuter parce qu'il n'avait pas voulu, dit-il, relever les noms des hommes de sa bande. Il sortit son révolver de son fourreau et tira le premier coup. Les autres le suivirent.

Des années ont passé. Je n'ai reçu aucune nouvelle de Jenny. Ni de ce bonhomme à l'allure pas trop catholique qu'elle m'avait présenté ce vendredi dans le clair-sombre du crépuscule. Depuis ce vendredi-là et cet après-midi d'horreur, ma vie bascula dans le vide.

Un après-midi de juin, j'étais, comme d'habitude, au bord de la table. Toutes les portes et les fenêtres de la maison étaient grandes ouvertes. Ainsi, l'air frais du soir et les papillons de la Saint-Jean pouvaient entrer de tous les côtés sans peine. Je reculai un peu ma chaise et appuyai ma tête contre un pan du mur. Une main posée sur la table, l'autre à la mâchoire, je me mis à regarder de l'autre côté du morne. Au loin, je revoyais grand-pa Louidor, une houe sur son épaule droite, revenant du jardin, Sianise, la voisine d'à côté, Pascale, ma sœur siamoise et tous les autres qui sont partis. Ah, que la vie est ingrate ! Nous sommes tous nés pour ensuite s'en aller, mais certains d'entre nous sont partis trop tôt.

J'étais entre sommeil et réveil quand je sentis la douceur d'une main sur mon épaule. J'ouvris mes yeux tout en essayant de reprendre mes sens. Jenny était juste devant moi, un petit garçon se tenait à ses côtés. Elle prit sa main qu'elle mit dans la mienne. Une main dans sa bouche, le petit s'approcha vers moi. Il était beau et avait l'air de grand-père. J'ai demandé son nom et elle me dit tout bas : — Il s'appelle Joe. À ce moment, un homme en kaki, lunettes noires, deux révolvers à la ceinture, me salua de la main. Il avança vers moi et me prit poliment dans ses bras. C'était l'homme de la dernière fois, Sanon Letragic. Il tourna en rond dans la maison, fouilla toutes les pièces comme s'il s'agissait d'une perquisition. Perplexe, je lui demandai s'il cherchait quelque chose.

Quelques minutes plus tard, il revint avec un vieux fusil qu'il tint dans ses deux mains comme un agent en poste.

– Je vous félicite, madame. Vous avez bien compris que dans une petite province comme celle-ci, chaque habitant devrait avoir un fusil comme ça chez lui pour se défendre contre toute éventuelle attaque.

– En effet...

– Je me rappelle avoir vu un fusil pareil quelque part. Vous savez en faire bon usage ?

– Non, c'est le fusil de chasse de mon feu mari.

– Ah, je vois. Il est mort dans un accident, votre mari ?

– Oui, il a été tué accidentellement, un après-midi devant sa maison par la milice du gouvernement. Ce fut la nuit de l'ombre.

Il avait encore le fusil dans ses mains qu'il continuait à examiner. À ces mots, il fut frappé de stupeur. Il enleva ses lunettes et me fixa avec son œil gauche. Il essaya de parler mais aucun son ne sortit de sa bouche. Il poussa un cri et tomba en syncope.

– Alors Grand-Ma, c'est lui l'assassin de grand-père Louidor ?

SANS PÈRE
—*Mirline Pierre*—

Voilà plus de dix ans depuis que mère est morte. Dix ans depuis que le soleil ne se lève sur ma vie et que ses rayons n'entrent plus dans ma chambre. Je suis comme une pierre délaissée au bord de la route et qu'aucun passant ne daigne ramasser. Une feuille morte emportée par le courant, et qui n'écoutera plus la chanson du vent et de la pluie.

Tout cela s'est passé comme un coup d'éclair. C'était un matin du mois de juillet. Il faisait un temps maussade. Je suis rentrée du boulot comme d'habitude avec le lever du jour. Huit heures moins le quart. La maison à cette heure était toujours en éveil, vivante et gaie. En franchissant la porte principale, une odeur de café venant de la cuisine me bouffait ordinairement les narines et emplissait tout mon être. Dans le salon, les airs de la *Cinquième Symphonie* de Beethoven montaient comme dans une opéra, les rideaux tirés pour laisser entrer un pan de soleil. Katy et ses deux petits chatons venaient se blottir à mes pieds comme pour me dire le bonjour.

En poussant la porte d'entrée ce matin-là, je ne reçus pas l'accueil habituel qui était devenu un rituel à mes yeux. La maison avait plutôt l'aspect d'un cimetière. Pas un bruit, pas un son, même pas la voix de Katy ou les accents Beethoven. J'ai crié le nom de Mère comme pour me convaincre que tout allait bien. Rien. Un frisson de peur m'envahit en un instant. J'ai déposé mon sac sur le guéridon et fait quelques pas dans le salon. Les fenêtres étaient encore fermées. Tout était sombre. Sur la petite table traînait *Les arbres musiciens* que je lisais la veille, la bouteille de vin à côté et un verre d'eau à moitié remplie. Je me dirigeai vers la porte de sa chambre et frappai trois petits coups. Je tournai la poignée et l'ai vue couchée dans son lit comme si elle s'était donné rendez-vous avec la mort. Elle avait l'air timide dans sa couche funèbre. Ses yeux, même éteints illuminaient l'espoir et la flamme du devant jour. Je me suis approchée du lit pour la contempler une dernière fois. Je ne pouvais retenir mes larmes. Je glissai mes mains dans ses cheveux comme elle le faisait le soir pour me dire au revoir quand je partais pour le boulot. Je poussai un grand cri qui réveilla mes colocataires et m'évanouis.

Durant toute son existence, Simone a toujours joué deux rôles dans ma vie : celui d'une mère et d'un père qui m'ont ouvert les yeux et aidée à comprendre que la vie est toute aussi fragile qu'un verre cassé. Tout ce que j'ai reçu de la vie, je l'ai appris d'elle : la lumière que j'ai découverte au fonds de ses yeux, l'alphabet que j'ai appris sur ses genoux – elle qui savait lire à peine – le pardon que j'ai fini par cultiver avec le temps et dans le silence de ses gestes remplis de bonté. Mère a été une femme si tranquille et si douce, souriante et sournoise autant dans les jours d'orage que les soirs de grande averse. Elle portait en elle tout l'amour du monde. Elle voulait faire de moi une femme douce et soumise au même titre qu'elle. Cependant, l'avenir en a décidé autrement.

J'ai toujours envie de voir Mère debout avec ses gestes mécaniques. Je pouvais tout donner pour la regarder dans ses yeux grands ouverts et prendre le pouls de sa respiration. Je voulais la toucher et la caresser comme cela a été dans nos vieilles habitudes quand nous nous racontions la vie à la tombée du jour, mais chez nous la coutume ne veut pas qu'on touche aux morts. Nous avons cette habitude de faire tout un mythe au sujet des morts. Pour moi, mère n'est pas un mythe. Elle n'est pas morte non plus. Elle est là dans cette pièce, je sens encore sa présence à chaque fois que je m'approchais de son vieux fauteuil.

Mon père. Je n'ai pas de grand souvenir de lui, sinon la voix cassée de mère qui s'efforçait parfois de se montrer autoritaire en jouant au père. Mère me racontait souvent que je suis venue au monde dans l'État de Floride comme le lot des enfants de ma génération. À l'époque, elle fuyait comme tant d'autres la misère et la violence de sa terre vers d'autres horizons en quête d'un eldorado. Le jour de ma naissance, mon père avait juste téléphoné pour dire qu'il était retenu à l'autre bout du monde à cause du mauvais temps et qu'il n'arriverait que dans une semaine. Trois jours après, il a appelé pour avoir de mes nouvelles, pour dire tout son regret d'avoir manqué ce grand rendez-vous, qu'il m'aurait tenue dans ses bras et baisé le front s'il avait été là, et depuis, Mère n'a jamais eu de ses nouvelles. Peut-être qu'il était mort quelque part ou avait-il refait sa vie.

Je n'ai jamais vu mon père dans ma vie. Pas une seule fois. Je n'ai même pas une petite photo de lui.

Les années ont passé, nous sommes restées, mère et moi, sans nouvelles de lui. Au bout du compte, Simone a fini par faire le deuil à son sujet. Elle ne voulait plus entendre parler de lui. Plus question de l'aborder sur cette affaire. Elle n'en veut plus de ce salaud, et à force de traiter mon père de salaud, j'avais fini par croire que Salaud était son prénom.

Mère n'a jamais eu ses papiers en bonne et due forme. L'étiquette de *boat people* autant que celle de père est restée collée à sa vie comme une puce. De retour chez elle au bout de vingt longues années dans ce pays étranger, je suis restée seule dans cette mégalopole américaine. J'ai appris à tisser ma vie avec les fils de ma préférence. Mon lit regorgeait d'hommes qui arrivaient le soir et partaient au lever du jour. Didier, le philosophe-artiste, était mon préféré. Tous les week-ends, il partageait ma couche. Il était vieux par rapport à mon âge, mais cela importait peu à mes yeux. Je l'ai aimé dès le premier jour où ses yeux ont croisé mon regard. Au fil des années, cet amour me rongeait et me consumait comme une braise. Didier m'était devenu un être si indispensable que je lui ai proposé de refaire sa vie avec moi, car il me racontait souvent sa mésaventure en mille morceaux avec cette femme dont il ne m'a jamais révélé l'identité.

Mère avait pris l'habitude de me

rendre visite chaque hiver. Elle aimait le froid et l'humidité. Elle prenait du plaisir à marcher dans la neige. Parfois, elle en mangeait avec du sirop d'érable, ce que je n'aime pas trop. Cette année-là, elle était arrivée plus tôt que d'habitude, à la fin de l'automne. Elle tenait tant à l'idée de rencontrer ce Didier qui illuminait ma vie. Il est arrivé deux jours plus tard avec l'aube. Comme d'habitude, Mère était dans la cuisine à préparer son café. Didier pénétra dans la grande cour sur la pointe des pieds et se dirigea vers l'entrée. Il tourna la poignée de la petite porte vitrée et entra dans le vestibule. L'odeur du café noir l'attrapa. Entraîné par la musique, il fredonna les notes de la *Cinquième Symphonie* et prit la direction de la cuisine. La terre s'arrêta net sous ses pas quand son regard croisa celui de Simone qui vacilla à son tour.

MON PÈRE EST UNE OMBRE
— *Guy Junior Régis* —

La première fois où j'ai vu mon père, j'avais trois ans. Je me souviens encore de sa bouche effacée sous sa longue moustache. Il avait l'air heureux, fier de lui. Le soleil penchait dans le ciel tel un grand oiseau noir. Soudain une ombre opaque a enveloppé tout mon corps, et m'a soulevé de terre.

Je me souviens que j'ai ri quand l'oiseau noir m'a lentement redescendu. J'ai ri de ma peur subite, de mon émotion. J'étais heureux. Heureux de le voir enfin. Je devais sûrement être fier aussi. Fier de voir cet autre corps auquel ressemblait si étrangement le mien.

J'avais trois ans, pourtant c'est de loin le plus clair souvenir que j'ai de mon père. Ce jour qu'il était venu et m'avait porté comme un trophée. Comme s'il s'agissait pour lui de la première fois, lui aussi. De la première fois qu'il me voyait. Peut-être que oui, après tout ? Peut-être que pour mon père c'était la première fois ? Car comment expliquer toute cette célébration à mon égard ? Et mes palpitations d'un coup, mes pirouettes, mes caprices, mes sauts périlleux, mes fanfaronnades, me disant que : tout compte fait, je le vois enfin, celui-là. Je le vois enfin, le tant attendu. Il ne m'échappera plus. C'est du moins ce que je me disais. Ce que j'espérais.

Qu'une fois là, il m'appartiendrait. Comme m'appartenait le soleil. Comme jamais le soleil ne m'échappait. Le soleil, mon plus sûr compagnon.

Enfant, je m'endormais avec le soleil pour me réveiller avec sa lumière plein les yeux. Jamais le soleil ne se réveillait, n'allait se coucher sans mon regard. J'avais résolu alors qu'il m'appartenait. Mais une ombre se fond, disparaît. Cela, je l'avais oublié. Mon père était venu comme une ombre. Une ombre n'existe pas. Une ombre est une émanation du soleil. Comment pouvais-je naître d'une ombre ? C'est ce que je me suis finalement dit, quand j'ai vu qu'il ne réapparaissait plus. Moi, fils du soleil, une ombre m'aurait mis au monde ? Peut-être allait-il revenir, après tout ? Il ne pouvait disparaître ainsi. Sous le soleil je restais à attendre là où l'ombre était apparue. Je me mettais là, et j'attendais que réapparaisse ce grand oiseau noir. Mais il ne revenait pas.

Je me suis mis donc à douter de moi-même, de ma mémoire, des années durant. Ai-je vraiment souvenir de ce qui s'était réellement passé ? Ai-je réellement vu mon père ou une ombre ce jour-là de mes trois ans ? De quoi se souvient-on quand on a trois ans ? Se souvient-on quand on a trois ans ?

– Le jour de tes trois ans, ton père est venu.

– Oui ? C'était lui ?

– Oui, c'était bien lui. Tu as bonne mémoire, mon fils.

– Pourquoi était-il si heureux de me voir ? Pour lui aussi, c'était la première fois ? C'est bien cela ?

– Il était heureux ? Comment te sou-viens-tu si bien ? Comment peux-tu te souvenir qu'il était heureux ?

– Je me souviens très bien.

– Oui, la première fois qu'il te voyait.

– Est-il une ombre ? Maman, mon père, est-ce une ombre ?

– Une ombre ?

– Oui, mère, mon père est-il une om-bre ? Un oiseau ?

– Non.

– Pourquoi tu souris, maman ? C'est vrai, alors ? Est-ce vrai, cela aussi ? Il n'est plus revenu. C'est une ombre. Un oiseau. Il s'est envolé ?

– Je ne sais pas. Comment te dire ?

– Voilà ! Je le savais. Mon père est bien une ombre. J'ai raison, alors ? Mon père est bien un oiseau noir, une ombre ?

– Pourquoi dis-tu cela ?

– Un oiseau noir. Une ombre. Puisqu'il s'est envolé pour ne plus jamais revenir.

– Ce n'est pas cela.

– Est-ce de notre faute, mère ? Peut-être lui ai-je fait peur ? Peut-être est-ce cela ? Nous deux, nous lui avons fait peur. Comme on fait peur aux oiseaux et qu'ils s'envolent, nous fuient pour aller se protéger. Il s'est enfui, s'est envolé à cause de nous, et ne reviendra plus.

– Non. Que dis-tu là ?

– Alors, pourquoi est-il apparu comme une ombre ? Une fois ? Une seule fois ?

– Ton père n'est pas une ombre. C'est un homme. Un vrai. Tu le reverras.

– Ah oui ? Tu crois cela ?

– Certainement que je le crois.

– Alors, quand il reviendra je lui demanderai pardon. Je ferai en sorte qu'il n'ait pas peur de moi. Qu'il ne s'envole pas si longtemps, pour ne plus revenir.

– Certainement.

– Certainement quoi, maman ? Qu'il est un homme ou qu'il reviendra ? Je ne comprends pas maman. Je ne comprends pas ce que tu dis.

– Ton père est un vrai homme. Un vrai. Ce n'est pas une ombre. D'accord ?

– D'accord, mère. D'accord. Je peux donc te croire, alors ?

– Certainement que oui. Tu verras, mon fils. Il reviendra. Tu verras de toi-même que ton beau papa n'est pas une ombre. C'est un vrai homme. Un vrai.

– Il est beau ? Tu dis toujours qu'il est beau.

– S'il est beau ? Bien sûr qu'il est beau. Il est beau comme tu n'as jamais imaginé. Tu seras aussi beau que lui. Et il sera fier de toi. Il n'est pas que beau. Il est très fort aussi.

– Oui, maman, je serai beau et fort moi aussi. Aussi beau, aussi fort que lui.

– Oui, mon grand garçon. Et quand il te reverra il sera fier de toi.

La première fois où j'ai vu ma mère, elle chantonnait. Je n'avais pas d'âge. Elle non plus elle n'avait pas d'âge. C'était un jour à l'aube. Le soleil glissait dans le ciel tel une tortue. Nulle part il n'y avait de l'ombre. Il n'y a pas d'ombre à l'aube. Dans l'air frais, mère chantonnait. Une chanson douce et triste à la fois. La même que je l'ai toujours entendue chanter. Ainsi qu'elle commence les journées. Encore aujourd'hui, toutes les saintes journées, elle les commence toutes par son chant.

Mais du plus loin que je me souvienne, du plus loin dans les méandres de mon enfance, mère a toujours été. Toute mon enfance, j'ai cru que mère était arrivée au monde au même moment que moi. Elle était née avec moi, pour moi. Qui pouvait m'empêcher d'y croire ? Impossible de l'imaginer vivre sans moi auparavant. Impossible pour moi de croire au contraire. Qu'aurait-elle fait sans moi ? Comment s'occuper?

Nous habitions la petite localité de Liancourt. Un endroit tout en terre caillouteuse, traversé par une eau pleine de boues, la Rivière de Liancourt, où les enfants plus vieux que moi allaient stationner toute la journée. Avec sa longue rivière remplie de mêlasses, son eau boueuse courant vers les rizières, les marécages, son grand marché bruyant plein de riz, cet endroit était pour moi comme seul au monde. Dans ce lieu, j'ai découvert le monde pour la première fois. Tout le monde autour, tous les êtres et toutes les choses. C'était dans ce monde aussi que j'ai vu paraître mon père ce jour-là.

– Était-ce bien toi ?

– ...

– Réponds. Je te parle, réponds-moi.

– ...

– Vas-y. Réponds.

— ...

— Était-ce toi ce jour-là ? C'était cela ? Toi ?

— ...

— Je ne doute pas. C'était toi. J'en suis si sûr. Ne me déçois pas. Dis-le que c'était toi.

— ...

— J'ai si peur de t'avoir inventé, oiseau noir. Si peur de t'avoir forgé tout seul. Ma propre sculpture que j'ai montée. Mon œuvre, mon père. Je l'ai créé. J'ai créé mon père.

— ...

— Mais, oui. C'était bien toi.

— ...

— Je peux donc le dire.

— ...

— Toute façon, qu'y a-t-il ? Même si ce n'était toi, mère t'aurait inventé. Nous t'aurions inventé, mère et moi. Toute façon, ce serait toi. Une fois que nous l'aurions décidé, tu serais ce qu'on veut que tu sois.

— ...

— C'était toi. Elle me l'a dit.

— ...

— Mais... qui tu es ? Qui es-tu ?

– ...

– Qui es-tu vraiment ?

– ...

– Qui es-tu homme qui m'a fait naître ?

– ...

– Qui es-tu ? J'ai besoin de le savoir pour être moi aussi.

– ...

– Qui es-tu, homme ? Qui es-tu ?

– ...

– J'ai besoin de le savoir pour ne plus me questionner, me torturer, fouiller dans ma tête. Chasser le vide qui y résonne. Dedans, il n'y a que du vide. Et quand cela résonne, il me tue. As-tu déjà entendu le vide résonner ? L'on se sent si seul. L'on se sent si vide. Vide soi-même. Vide et vidé. Qui tu es ? Qui es-tu ? Réponds. Remplis mon néant. Qui es-tu ? Je ne voudrais pas mourir ainsi, dans le vide de le savoir. Tu imagines ? Imaginer ma mort sans le savoir. Imagine cela. Ma mort. La mort du sot, de l'ignorant. Ma mort dans le vide de le savoir, qui tu es. Qui tu es. Qui tu es vraiment. Celui par qui vient ma vie. Ce serait une vie vide. Ce serait une vie sans vie.

J'ai un souvenir très précis de la face de mon père : une tête d'oiseau, une minuscule tête garnie de peu de chevelure, et une longue moustache noire et luisante. Tout vieillit, sauf les souvenirs. Ils demeurent, sont immuables. L'on grandit mais les souvenirs sont de marbre. Je me souviens comme si cela venait tout juste de se passer. Aujourd'hui, comme si j'étais enfant, mon souvenir est très précis.

Sa moustache était aussi longue, aussi fine qu'une plume d'oiseau. Un soigneux duvet qui dessinait finement le haut de sa bouche. Sa moustache m'impressionnait. Les moustaches m'ont toujours impressionné. Il n'y a rien de plus simplement imposant chez un homme.

À ma mère, il clignait des yeux, lui souriait. Comme pour dire : ça y est, je suis là enfin. Puis figé, il attendait qu'elle lui rende la pareille, lui montre toutes ses dents elle aussi, s'exclame heureuse de le voir. Qu'elle se mette à réagir en conséquence, l'acclamer, fêter l'événement. Mais mère était si froide avec lui. Lui souriait, jouait avec moi, me faisait tourner. Il espérait qu'à cette seule apparition, tout s'efface : toute la longue attente, le désespoir qu'amènent les jours qui passent, le manque de lui. Maintenant qu'il était là, son absence n'avait plus aucune importance. Après tout, il n'y a que le retour du père qui compte.

Malgré tous ses mamours, ses jeux, mère ne souriait pas. Moi j'étais aux anges. Je l'attendais, moi. Elle m'avait parlé de lui. Elle m'avait parlé de l'existence de ce père. Elle me faisait l'attendre. Il existait dans ma tête. Pour cela que je n'ai pas été surpris cette première fois de mes trois ans, de le voir apparaître enfin.

– Laisse-moi ! Laisse-moi ! Pose-moi ! Pose-moi ! Pose-moi par terre !

– Qu'il est retord, ce garçon ! C'est mon vrai fils, ça ! N'est-ce pas ? Fais-moi un ba ! Embrasse-moi !

– Mm ? Ma...man ?

– Pourquoi tu appelles ta mère ?

– Mm ? Mm ?

– Tu n'es pas content de me voir ?

– M'oui !

– Fais pas ton timide. Je ne vais pas te manger.

– Maman ? Maman ? Un monsieur.

– Pourquoi tu appelles ta mère ? Laisse ta mère en paix.

– Maman ?

– Tu as peur ? Tu as peur de moi ?

– M'non ! Je n'ai peur de personne.

– Ah voilà ! Viens. Viens-là, mon brave. Assieds-toi sur moi. Viens. Viens-là. Tu veux ? Viens.

– M'oui.

– Voilà. Assieds-toi.

– M'oui !

– Comment tu m'appelles ? Tu m'appelles comment ?

– Mm ?

– Oui, moi tu m'appelles comment ?

– Je ne sais pas. Monsieur ?

– Comment tu m'appelles ? Tu m'appelles comment ? Qui je suis ? Monsieur ? Appelle-moi papa.

– Mm ?

– Je m'appelle Papa. Tu entends ? Appelle-moi Papa. Dis-le.

– Que je le dis ? Pa-pa ? Pourquoi ?

– Oui Pa-pa ! Comme cela, oui. Vas-y.

– Pa-pa !

– T'es bien, mon garçon.

– Pa-pa !

– Assieds-toi. Reste sur moi.

– Maman ? Maman ? Le monsieur, c'est Pa-pa...

– Assieds-toi. Laisse ta mère en paix.

– Pa-pa !

– Oui !

– Pa-pa !

– Exact.

– Pa-pa ! Pa-pa ! Pa-pa !

– Jouons.

– M'oui pa-pa ! Pa-pa ! Pa-pa !

– Attends. Tu sais jouer à l'ombre ?

– C'est quoi jouer à l'ombre ?

– Tu ne sais pas ? Ce n'est pas grave. Je vais te montrer.

– Mm... Pa-pa ! Pa-pa ! Pa-pa !

– Tu fermes les yeux. Je disparais.

– Je ferme les yeux, tu disparais. Mm...

– Je disparais. Je fais l'ombre, et toi tu me cherches.

– Oui. Mm... Tu disparais.

– Je disparais.

– Pa-pa ? Pa-pa ? Je ne te vois pas. Je ne te vois plus. Pa-pa ? Pa-pa ?

J'ai compris donc pourquoi mère restait stoïque ce jour-là. Il ne fallait pas croire qu'il allait stationner longtemps. Il apparaissait pour disparaître après. Il passait comme passe le vent. J'ai eu beau cherché partout. Pensant qu'il se cachait. Mais il avait bel et bien disparu. Un passage furtif. Une visite docteur, comme on dit pour celui qui passe faire acte de présence, pour soulager de son bref passage. En un clignement d'œil, il n'était plus.

Elle connaissait ce jeu de l'ombre, de la disparition. Elle, si souvent joyeuse avec moi, même pas un sourire à celui-là. Des jours plus tard, ce bref passage du père marquait son visage. Elle demeurait silencieuse, ne chantonnait plus.

Elle posait ses yeux sur moi. Ses grands yeux ronds, vifs et doux. Comme quand après m'avoir grondé ou blâmé, elle cherchait à m'adoucir. Puis, elle s'occupait de ses affaires, muette. Même mes turbulences ne pouvaient rompre le profond silence dans lequel toute son âme était plongée. Elle restait là, hagarde, muette, à me regarder. Et moi, je criais, faisais l'esclandre, pour qu'elle me regarde.

Malgré tout, cela ne le perturbait pas.

Elle me regardait, puis me souriait songeuse. On aurait dit que cela l'amusait de me voir crier pour rien. Le sourire ouvrait son visage puis elle s'égarait de nouveau.

Le passage de l'homme l'avait effondrée. Désormais, elle n'était plus la même. Je le voyais, moi, qu'elle n'était plus la même du tout. Alors je me lassais de faire mon cinéma. Je m'en allais vers elle. Je lui demandais pourquoi. Pourquoi elle avait changé. Pourquoi elle était si chagrine. C'est alors qu'elle me regardait de ses grands yeux ronds, vifs et doux. Et brusquement elle s'accrochait à moi. Elle restait longtemps ainsi, me serrant dans ses bras. J'aimais cela. J'aimais sentir son corps écraser le petit mien. Des larmes chaudes coulaient de ses joues. Quand enfin elle me relâchait, de mes petites mains, je les effaçais, tentais de les effacer tant bien que mal.

Elle pleurait. Elle pleurait mais elle souriait aussi. Puis, elle pleurait encore. Elle pleurait et disait : ce ne sont pas des pleurs, mon fils, ce ne sont pas des pleurs. Et moi, je tentais à nouveau de sécher ses yeux mouillés.

Mère mentait. Comment pouvait-elle me mentir sur ce sujet là que je connaissais si bien ? S'il y a bien une chose que je connaissais, enfant s'il y a une chose que je connaissais mieux que ma mère, mieux que tout adulte, c'était mes caprices et mes pleurs dont j'usais avec tact, rarement, afin qu'en dernière instance on fasse cas de moi.

Longtemps je n'ai pas compris pourquoi le passage du père avait si tant chagriné mère, avait même réussi à la faire pleurer comme pleure un enfant, et me demander pardon. À moi ? Pourquoi à moi ? Pourquoi s'en faire tant ? Elle ne m'avait rien fait.

Moi ? Il m'a laissé heureux pourtant. Cet ange qui passe, c'était mon père. J'étais heureux de le voir enfin. Je pouvais maintenant lui donner un visage à celui que j'attendais. Il était passé comme dans un rêve. Mais, je pouvais me dire : je l'ai vu.

LÉOPOLD
— *Évelyne Trouillot* —

Il n'avait pas voulu de cet enfant. Instinctivement, il avait eu peur de ce ventre dont la rondeur semblait le narguer jusque dans ce travail minable où ses os craquaient sous l'effort, à l'heure de la pause, à la sortie des ateliers, à la station de camionnettes, à l'entrée de la bicoque exigüe où il logeait avec deux frères, un ami et un cousin, tous de passage. Un passage qui durait depuis plus d'un an pour le cousin, plus de trois ans pour les frères et l'ami. Un passage interminable vers moins de misère, vers un meilleur job, vers une vie moins désespérante.

En apprenant la nouvelle, les autres

l'avaient taquiné sans merci. Agaçants et bêtes, avec leurs plaisanteries débiles sur ses responsabilités de père, l'appelant petit papa chéri. Antoine n'avait pas souvent envie de rire. Le soir, après le boulot, il se faufilait dans sa rue en jetant automatiquement des regards méfiants derrière lui. Cette capitale bouffait les êtres humains sans se cacher, en plein soleil. Elle n'attendait pas la nuit pour boire le sang, elle le faisait à midi, à l'aube, n'importe où. On ne savait jamais d'où viendrait le coup fatal, les jets de pierre, la balle égarée ou celle qui sait où elle va, la lame d'acier qui ne pardonne pas. Mais au fond de lui, il pensait que la misère était plus forte que les revolvers ou les couteaux. Elle te prenait même lorsque tu te croyais à l'abri au creux de ton lit, dans les bras de ta mère ou de la femme que tu aimes. La misère peut se glisser partout.

Pourquoi accepterait-il de gaieté de cœur de mettre un enfant au monde, de l'exposer à ces matins blêmes ? Il aurait cru que Liliane aurait compris, d'autant plus qu'elle en avait déjà deux autres :

Johnny et Lola, d'un père depuis long-temps parti pour la Guyane. Deux gosses que sa mère gardait pour elle dans leur bourg natal, à des kilomètres de Grand-Goâve. Mais quand il avait suggéré de s'en débarrasser, Liliane avait fait une scène qui avait rassemblé les résidents de la cour et alimenté les conversations de la fin du jour. Elle avait pleuré en l'accusant d'être sans cœur, de n'avoir voulu que prendre son plaisir avec elle, qu'il le paierait car un crime ne reste jamais impuni. Il avait ricané sans rien dire. Tous ces criminels qui se promenaient dans la cité, au volant de leur voiture, ceux qui descendaient impunément des avions, allaient au restaurant, passaient dans leurs anciens quartiers, devant les familles de leurs victimes, ils ne payaient rien. Nul ne leur criait dessus, ils étaient libres et profitaient même de leurs crimes.

Finalement, il avait accepté. Après tout, il aurait dû faire attention, prendre ses précautions, mais il avait été trop content d'être insouciant quand elle se glissait contre ses reins. Et puis surtout, il n'avait pas le choix. Comment empêcher à Liliane ou à n'importe quelle femme d'ailleurs, de se débarrasser d'un enfant ? De toutes les façons, c'était son corps à elle, il ne pouvait pas la forcer à faire quoique ce soit. Quand ils couchaient ensemble, c'était une autre affaire, elle aimait ça, Liliane, et elle se pliait comme une liane. Elle lui faisait perdre la tête. Son corps pouvait prendre n'importe quelle position. C'est pour cela qu'il l'avait surnommée *ma liane*. Mais hors du lit, elle avait sa volonté et il ne pouvait pas la forcer.

Il ne pouvait pas, mais la misère avait sa façon à elle de dévier le cours des choses. Au sixième mois de grossesse, Liliane ne fut plus en état de garder son job de lessiveuse. De plus, la chaleur de la petite chambre qu'elle partageait avec sa sœur la rendait misérable et hargneuse ; elle n'arrêtait pas de se plaindre, de réclamer des petits plats spéciaux que seule sa mère pouvait lui préparer. Antoine avait tant d'arguments en sa faveur qu'il arriva sans peine à la convaincre d'aller dans son bourg natal pour accoucher. Il lui paya tout ce qu'elle réclama : les billets d'autobus pour elle et sa sœur, car elle ne pourrait voyager seule, les frais de moto de la station jusqu'à leur patelin, puis de l'argent pour qu'elle ne soit pas sans le sou là-bas, à la merci des mauvaises langues, comme elle le lui fit comprendre.

Après l'avoir aidée à s'installer dans le bus, il respira un bon coup. Du trottoir, il lui fit un grand signe de la main et rentra chez lui d'un pas léger. Elle avait un portable et ils pourraient communiquer. Il se sentait soulagé ! Le bébé naîtrait là-bas et Liliane y resterait encore quelque temps après la naissance.

Lorsque la jeune femme appela pour dire qu'elle allait accoucher, il prit comme il l'avait prévu un congé sans solde, les ouvriers n'ont pas de congé payé de toutes façons, il le savait dès le début. Il acheta un billet d'autobus pour se rendre là-bas. Il n'avait pas voulu du bébé mais il fit ce qu'il fallait faire. Une sage-femme, la même qui avait mis au monde les deux premiers, selon ce qu'il apprit, aida le petit à naître. La seule et ferme exigence d'Antoine consistait à choisir le prénom du bébé. Léopold comme son père à lui si c'était un garçon et Janine comme sa mère si c'était une fille. Il ne prêta pas une grande attention aux commentaires de la famille de Liliane rassemblée autour du nouveau-né. C'était le portrait craché de son grand-frère Johnny ; il avait les oreilles de la tante Monique, le nez de Liliane, puis finalement avec dans la voix une petite dose de regret, la grand-mère admit qu'il avait peut-être les yeux d'Antoine. Oui, à bien regarder, on dirait bien qu'il avait un petit air de famille avec son père. Antoine ne disait rien, se promettant qu'un jour il conduirait le petit Léopold à Limbé voir sa famille à lui. Ses parents étaient morts depuis des années mais il y avait cette tante à moitié aveugle qui l'avait élevée, et une cousine qui l'appelait deux fois par an sur son portable. Oui, ce serait bien que le petit garçon connaisse aussi la famille de son père. Car il comptait bien s'en occuper, à distance et selon ses moyens, sans se laisser pressurer par Liliane. Après tout, c'était elle qui avait insisté pour l'avoir. De toutes les façons, c'était mieux que le petit soit en province avec elle et sa famille. Pas question qu'elle vienne s'occuper de l'enfant dans la capitale. Il voyait comment cela se passait avec ses amis qui avaient des gosses, non seulement la femme réclamait de l'argent pour un oui pour un non, mais elle demandait aussi qu'ils fassent ceci, cela. Il avait une bonne tête le petit, il avait une façon de sourire qui lui donnait envie de le garder pour toujours dans ses bras, mais vraiment pas question de l'avoir ici avec lui. Ce serait trop.

Et il avait bien fait car quelques mois après, il se retrouva au chômage. Pour éviter d'augmenter le salaire des ouvriers qui menaçaient de se mettre en grève, pour ne pas perdre quelques dollars de profit, les patrons décidèrent de fermer l'usine de fabrication de maillots où il bossait depuis deux ans. Sans doute qu'ils en ouvriraient une autre bientôt, offrant à une nouvelle bande de laissés pour compte les mêmes conditions de travail horribles que ces malheureux accepteraient, n'ayant pas le choix. Jusqu'à la prochaine revendication ! Même s'ils n'étaient pas toujours du même avis, même si certains bougonnaient contre les décisions des syndicats en pensant à la faim qui attendait derrière le portail, les ouvriers étaient presque tous d'accord pour réclamer davantage. Comment vivre avec ce salaire minimum sans accumuler les dettes, sans se sentir diminué, humilié, exploité ? Antoine se demandait parfois pourquoi il s'esquintait autant puisqu'il passait ses fins de mois à rembourser. La marchande de pain, le propriétaire des deux chambres où il logeait, la marchande de fripes. Après les dernières averses, il avait dû s'acheter une paire de chaussures. Même usagées, elles avaient bouffé une bonne partie de son salaire. Puis, il avait envoyé de quoi payer les vaccins du petit. Il n'avait aucune économie, aucun moyen de survie avant de trouver un autre job probablement aussi minable que le précédent. Mais il savait déjà qu'il accepterait n'importe quoi. Lorsqu'il appela Liliane pour lui annoncer la fermeture de l'usine, elle soupira. Ses seins avaient séché, elle pensait revenir dans la capitale et laisser leur fils avec sa mère, mais elle ne pouvait le laisser sans rien. Le soupir de Liliane lui arriva plein de regrets, de reproches, de résignation et de lassitude. Il raccrocha car il n'avait rien à dire.

Il n'avait pas voulu de cet enfant, mais lorsque le 12 janvier, le séisme secoua violemment sa bicoque, qu'il vit tout le quartier trembler et des maisons s'effondrer, affolé, il murmura "Léopold". Deux mois passèrent avant qu'il put se mettre en route vers Grand-Goâve. Entretemps, il avait trouvé à travailler dans la reconstruction et rassemblait autant de gourdes que possible. Tout le long du trajet, son cœur se serrait en contemplant le désastre. L'odeur des cadavres envahissait parfois l'habitacle de l'autobus. À travers la poussière, il voyait les regards égarés des autres passagers. Des frissons les traversaient parfois, sans raison apparente. Sans doute comme le tremblement qui le secouait quand il pensait aux amis perdus, aux photos de ses parents à jamais enfouis sous les débris, à ce bout de bras qu'il avait aperçu sous les décombres de l'église du quartier. Un bras maigrichon avec une petite main menue qu'il aurait voulu enlever loin de cette scène macabre, un bras qui lui fit penser à Lola, la fille de quatre ans de Liliane. Il n'avait pas aimé le timbre de la voix de Liliane quand il avait réussi à la joindre finalement. Une voix presqu'inconnue dont il avait essayé en vain de retrouver le tempo chantant habituel. Il n'avait pas pu entendre gazouiller Léopold car il dormait, disait-elle. Les deux fois qu'ils s'étaient parlé, comme par hasard. Un enfant de cet âge, il dort c'est normal avait grommelé Liliane, mais il n'avait pas aimé le son de cette voix soudain étrangère.

Lorsqu'il arriva après deux jours de route, d'angoisse et de maux de ventre, il se dirigea vers la maison de la mère de Liliane. Une partie s'était effondrée mais comme une couronne sans support, la galerie était intacte. Ils y étaient tous rassemblés, les cousins, les amis qu'il avait rencontrés lors de la naissance de Léopold, Liliane, sa mère, ses tantes, un oncle. Accroupis, assis, appuyés contre la palissade, des enfants jouaient avec les cailloux. Parmi eux, il reconnut Johnny qui lui fit un petit signe si triste qu'il sentit son angoisse augmenter. En vain, il chercha des yeux Lola et le petit Léopold. Face à lui, Liliane tortillait le bout de sa jupe, la grand-mère détournait les yeux et tous les autres baissaient la tête. Une pensée affreuse le prit au cœur. Où est Lola ? Où est Léopold ? Où est-il ? Où sont-ils ? Il imaginait son fils enfoui sous les décombres quelque part, il voyait la fillette, morte écrasée sous des amas de blocs à bon marché et de tuyaux de fer rouillé. "Où sont-ils ?", cria-t-il. C'est alors que la mère de Liliane somma sa fille de lui dire la vérité.

Dès que Liliane commença son récit, les autres ouvrirent la bouche pour apporter détails et informations additionnels. Leurs voix se mêlaient les unes aux autres et l'histoire lui arriva avec des voix différentes, certaines défiantes, d'autres pleines de regret ou de résignation et d'autres teintées de colère. Les deux petits étaient à l'orphelinat. Un orphelinat que des blancs avaient installé à Grand-Goâve deux semaines après le séisme. C'était plus difficile de placer Johnny, il avait déjà huit ans. Un peu trop grand avait dit la directrice, ce sera difficile de lui trouver une famille. Lola, ce fut beaucoup plus aisé car elle n'avait que quatre ans et les petites filles étaient très demandées. Léo, lui il n'avait que huit mois c'était encore un bébé, il pourrait facilement s'adapter à la famille qui le prendrait. Car c'est sûr il serait adopté très facilement. Mais ce n'était que pour quelque temps, jusqu'à ce que la situation s'améliore. Ils n'avaient presque rien à manger ici. La vie des enfants était en danger. Beaucoup de parents l'avaient fait.

Antoine sentit une colère froide l'envahir. En dedans de lui, le sang semblait s'être transformé en un ruisselet d'eau glacée dont le cheminement faisait mal à tous ses membres. Il vit plutôt qu'il n'entendit le silence se faire autour de lui, car tous les yeux le fixaient avec une intensité inquiète. Il ne sentit pas quand il envoya son poing contre un des poteaux déjà branlants de la galerie. Les cris de surprise et de frayeur des uns et des autres le sortirent de cet état second et il regarda avec stupeur sa peau écorchée. Il se tourna alors vers Liliane et lui posa une seule question "Combien ils t'ont donné ?" Alors qu'elle balbutiait une réponse, il pensait à tout ce qu'il avait entendu sur ces orphelinats qui s'étaient multipliés depuis le séisme. Quelques-uns étaient peut-être bien, il y a toujours des exceptions pour confirmer la règle, lui disait autrefois son père, mais selon ce qu'il avait compris plusieurs cachaient toutes sortes de combines. Des escrocs qui détournaient l'argent que les bonnes gens pleines de bonne volonté et en quête de bonne conscience versaient pour les enfants des pays pauvres, des pervers qui cherchaient de la chair jeune et fraîche, des sadiques avides de nouvelles proies à torturer, des indifférents qui avaient trouvé une occupation où ils pouvaient se la couler douce. Et sans doute dans ce lot, il y avait ceux qui cherchaient des enfants pour se faire une petite famille. Comment Liliane pouvait-elle croire que ces gens lui rendraient ses enfants lorsque les choses iraient mieux pour elle ?

"Comment avait-elle pu ?", se disait-il,

tout en marchant à ses côtés le lendemain matin. Il allait d'un pas ferme et résolu, opposant aux explications de Liliane un silence impassible, mais sans aucune colère. Sa rage était partie, remplacée par l'angoisse insup-portable d'arriver trop tard et de ne pas les retrouver. Et puis pourquoi poser la question. Il savait bien que la misère était venue une fois de plus montrer son pouvoir. Pourquoi blâmer la femme qui marchait près de lui alors qu'il voyait sur son visage l'immensité de son désespoir? Il maudissait plutôt sa propre stupidité. Il n'avait pas voulu de cet enfant mais au fond de lui, il avait cru que le petit serait toujours là, qu'il pourrait s'en occuper à sa façon. À distance et à son rythme. La misère venait lui rappeler que les choses ne se passeraient pas ainsi. Pourvu qu'il n'arrive pas trop tard!

Dans sa tête, il avait déjà fait les calculs nécessaires. Oui, il accepterait de bourriquer six jours sur sept pour cet ingénieur malhonnête qui trafiquait sans se gêner le mortier, réduisant au minimum la portion de ciment. Il mettrait ses scrupules de côté, et accompagnerait son cousin qui allait dans les décombres ramasser les bouts de fer pour les revendre. Il savait que c'était interdit et dangereux de construire avec ces fers tordus et rouillés, mais il devait à tout prix gagner davantage. Oui, il ferait n'importe quoi. Il chercherait, il trouverait, il fallait bien. Son fils n'était pas un orphelin.

Quatre heures plus tard, il sortit de l'orphelinat, son fils dans les bras. Reniflant encore un peu, la petite Lola s'accrochait à la jupe de sa mère qui, le pas un peu moins lourd, fermait la marche. Pour clore la discussion âpre, longue et dure avec la directrice, Antoine avait sorti son argument majeur. Son portable à la main, il avait menacé d'avertir la presse. Les deux stations de radio les plus populaires n'hésiteraient pas à relayer sa version des faits, comme disaient les reporters.

D'ailleurs, des journalistes étrangers et haïtiens arpentaient déjà la zone à la recherche de nouvelles sensationnelles. La directrice céda ; elle ne voulut pas se l'avouer mais les yeux d'Antoine lui avaient fait peur.

Il n'avait pas voulu de cet enfant mais il prit entre ses doigts la petite main de Léopold. Il contempla les yeux qui étaient peut-être pareils aux siens et il soupira. De soulagement ? De peur ? La vie serait encore plus dure, la misère plus cruelle. Il ferait face. L'avenir dira qui gagnera mais son fils n'était pas un orphelin.

LA BIBLIOTHÈQUE*
—*Gary Victor*—

Aujourd'hui, je ne puis penser à mon père sans me souvenir de sa bibliothèque, lieu où mon imaginaire a pris son envol, lieu creuset de ce que je suis devenu. La bibliothèque de mon père avait pour lui une valeur surtout sentimentale. Je l'ai rarement vu consulter les ouvrages rangés dans la grande armoire murale à porte vitrée ; des livres d'histoire, de droit, des traités sur la politique, toute une collection de *Temps modernes* – la revue de Jean-Paul Sartre –, quelques rares essais de sociologie parus au pays à ce jour. Pas d'œuvres de fiction. Mon père semblait n'avoir aucun intérêt pour le roman. Quelques livres sur la sexologie. On trouvait aussi, dans la bibliothèque, son carré de travail occupé principalement par un grand bureau en acajou que j'ai récupéré après sa mort. Six mois avant son décès dû à une insuffisance cardiaque, il avait fait installer un lit de camp dans la pièce, voulant probablement éviter des tête-à-tête désagréables avec ma mère qui ne supportait plus d'être délaissée pour des femmes de loin au-dessous de sa condition.

Mon père ne donnait à personne le droit d'entrer dans la bibliothèque, à part ma mère qui y venait faire le ménage. Notre chambre d'enfants – nous étions trois à y dormir, mon frère, ma sœur et moi – était contiguë à cet espace pour lui sacré. La porte avait un vitrail qui ne permettait pas de voir l'intérieur, mais diffusait, en augmentant son intensité, la lumière de la salle de travail. Ainsi savais-je quand mon père écrivait la nuit. Les lampes qu'il allumait m'empêchaient de fermer l'œil, moi qui ne trouvais le sommeil que dans le noir. J'étais donc témoin de ses longues nuits de réflexion et d'écriture, souvent après la visite de deux amis que je sus bien vite être l'un président de la Chambre des députés et l'autre, pendant quelques mois ministre de la Santé publique. Il rédigeait pour eux des discours ou, certaines fois, pour le président de la République lui-même qui ne se déplaçait pas pour se confier une telle tâche à un citoyen, fut-il aussi brillant que mon père.

Ce lieu où je n'avais pas droit de présence me fascinait. Je ne faisais qu'entrevoir l'intérieur lorsque ma mère y entrait et apportait à boire et à manger. Un jour, je demandai à ma mère pourquoi on m'en interdisait l'accès, moi qui aimais pourtant les livres. J'empruntais chaque fin de semaine une demi-douzaine d'ouvrages à la bibliothèque de l'école. Elle me fit comprendre que les livres de mon père n'étaient pas de mon âge.

L'explication de ma mère galvanisa mon désir de m'introduire dans ce lieu secret. La nuit, j'imaginais le plaisir qui serait mien d'y accéder. Quand mon père, souvent insomniaque, avant le chant du coq et le carillon de l'église appelant les fidèles, me réveillait au petit matin, sans faire exprès bien sûr, parce qu'il travaillait, je n'arrivais plus à retrouver le sommeil et cela me mettait en rage.

Un cerveau d'enfant branché sur la résolution d'un problème peut faire des merveilles. Je me mis à étudier avec minuties les faits et gestes de mon père. Je découvris qu'il rangeait la clé dans le premier tiroir de la coiffeuse à côté du lit conjugal. J'attendis donc qu'il sorte, que le ronronnement de sa petite voiture anglaise s'estompe au coin de la rue, puis j'allai rôder près de la chambre parentale, surveillant le premier moment où ma mère s'absenterait. Je dérobai alors la clé et j'entrai pour la première fois dans le lieu interdit, le cœur battant, étourdi, en proie au vertige devant tous ces livres qui s'offraient à moi. J'eus une intense excitation de nature sexuelle par le seul fait de violer cet espace. Je caressai les ouvrages sur les rayons, mes yeux fiévreux fixés sur les titres. Je fus intéressé par les livres d'histoire de la Révolution française, surtout parce qu'il y avait des portraits de femmes, souvent des postures qu'à mon âge je trouvais excitantes. Des gravures me fascinèrent, certaines horribles, sanglantes, montrant des champs de bataille jonchés de morts, des exécutions à la guillotine du temps de la Terreur sous Robespierre. Mon imagination s'enfiévra en voyant les dessins de Moscou en flammes, de Napoléon traversant avec ses troupes un fleuve de la grande retraite de Russie, les représentations de la bataille de Waterloo. Je fus attiré lors des incursions suivantes par les ouvrages traitant de la sexualité. Je mis la main sur un exemplaire du *Kâma-Sûtra* dissimulé derrière un lot de revues de la Société d'Histoire et de Géographie. Je compris que mon père, d'un naturel pudique, ne voulait pas que ma mère apprenne qu'il lisait de tels ouvrages, lui si pointilleux, si intolérant en matière de lectures. Je me délectais pendant des jours de ce livre et, un midi, je m'allongeai sur la céramique froide de la pièce et me masturbai frénétiquement en imaginant que je faisais l'amour à une petite mulâtresse de ma classe de secondaire, dont la vue depuis quelques semaines me mettrait dans tous mes états.

*

Ma mère se doutait-elle que j'avais investi l'espace sacré de mon père ? Certainement pas, car elle aurait réagi en dissimulant la clé en me punissant. Dès que l'heure du retour de mon père approchait, je remettais tout en place, et la clé exactement là où je l'avais prise. J'avais mémorisé sa position dans le tiroir de sorte que l'esprit le plus observateur n'aurait pu soupçonner qu'elle avait été déplacée. La seule trace susceptible de me trahir dans la bibliothèque de mon père était les gouttes de sperme qui glissaient de mes cuisses sur le carrelage, mais que je faisais attention à nettoyer avec ce que j'avais à portée de main. Les balbutiements de ma vie sexuelle se résumaient à ces sporadiques transes dans la bibliothèque de mon père où je m'imaginais faire l'amour aux filles que ma timidité maladive me faisait fuir.

Un jour, mon père revint plus tôt que

d'habitude. Il devait rédiger en urgence un discours pour le ministre de la Santé publique, son ami d'enfance, qui lui soignait son arthrose cervicale. Il n'avait pas trouvé la clé à l'endroit où il la rangeait. Il ouvrit la porte que je n'avais pas fermée de l'intérieur et il me découvrit à moitié nu, allongé sur le sol à me donner du plaisir. Il ne m'interpella pas. Je compris, bien après, le choc que cela avait été pour lui. Il sortit sans rien dire et rejoignit ma mère au salon. En proie à une véritable terreur, je me rhabillai à la hâte, quittai la bibliothèque pour aller remettre la clé là où je l'avais prise.

Nous nous retrouvâmes à table en fin de soirée, mon frère, ma sœur, mon père, ma mère et moi. Me sachant coupable, j'avais fait mon possible pour éviter mes parents. Il n'y avait pas moyen d'échapper à cette rencontre familiale. Je sentis l'atmosphère lourde de menaces, mais c'était peut-être ma culpabilité qui me faisait supposer dans chaque regard, chaque geste de mes parents, un reproche, une interrogation, l'éclair précédant le coup de tonnerre.

Mon père s'enquit de mes progrès en anglais. Il tenait, je ne sais pourquoi, à ce que je maîtrise la langue de Shakespeare en arguant que mon défaut de langage – je zézayais – était profitable à son apprentissage. Ensuite, il se lança dans une critique des livres que je lisais, opinant que les romans dits populaires, les bandes dessinées qui me plaisaient tant, n'étaient pas de la littérature et que je ne tirerais rien de ces lectures. Il lança une flèche vers ma mère en déclarant que des romanciers comme Alexandre Dumas, Michel Zevaco, Paul Féval, Edgar Allan Poe, étaient des écrivaillons. Ma mère ne dit mot, se contentant de dodeliner de la tête pendant qu'elle suçait un os qu'elle venait d'écraser, ainsi que savent faire les femmes de chez nous. Mon père conclut qu'il m'emmènerait bientôt à une bibliothèque bien connue, tenue par un ordre religieux, pour que je lise de vrais romans comme ceux de Jacques Roumain ou de Jacques Stephen Alexis. Il me prévint qu'il me demanderait ensuite les résumés pour s'assurer que j'avais lu effectivement les ouvrages recommandés. Ma mère réagissait toujours par une indifférence muette au terrorisme littéraire de mon père. Elle se taisait. Elle continuait, comme si de rien n'était, à apporter à la maison, achetés dans des librairies de la ville ou dans les rues, des livres de ces auteurs que fustigeait mon père.

Pendant deux jours, la tempête annoncée tarda. Je ne me permis plus les escapades habituelles, ce qui d'ailleurs était impossible, la clé de la bibliothèque n'étant plus rangée dans le tiroir de la commode. Peut-être que mon père, maintenant, la gardait-il sur lui de peur qu'en son absence, à force de fureter, je ne découvre sa nouvelle cachette. Ce qui m'inquiétait, c'était moins d'avoir violé son espace secret – cela était explicable – que d'avoir été découvert dans une posture indélicate. Je sus bien plus tard que j'avais causé à mon père un véritable problème de conscience. Il avait vu son fils occupé à une activité qu'il réprouvait, mais qui l'informait en même temps que j'étais devenu un adolescent, en proie au désir sexuel. Il voulait sévir tout en craignant de me causer un dommage psychologique. Je ne crois pas qu'il s'entretint de ce sujet avec ma mère. C'était le type d'homme qui pensait que certaines choses devaient rester entre mâles. Il en discuta certainement dans le cercle de ses amis proches avec qui il partageait une vie de bohême dans les quartiers interlopes de la capitale, à l'insu des épouses légitimes. Mais son horreur presque métaphysique de la masturbation, séquelle de son éducation religieuse, eût bien vite raison de sa prudence paternelle. Un matin, il vint s'asseoir sur le rebord de mon lit et me regarda en affichant une sévérité qui me glaça le sang.

— Ce que tu fais te causera de graves dommages. Tu risques de devenir impuissant. Ne recommence plus.

Je me taisais dans mon lit, le corps soudain en sueur. Je crus entendre les battements de mon cœur repris en écho par les murs.

— Te souviens-tu du malfini ?, me demanda-t-il.

Je fis oui de la tête.

— Ce que tu fais peut l'attirer. Aimerais-tu qu'il vienne se repaître de ton sexe ?

Il se releva, l'air encore plus terrible.

– Cesse pendant qu'il est encore temps. Tu as de la chance que je n'aie rien dit à ta mère. Que cela reste entre hommes.

Il regagna la bibliothèque, fermant la porte rageusement derrière lui au risque de réveiller mon frère et ma sœur. Je ne savais pas que mon frère avait entendu tout ce qui venait de se passer

*Extrait de *Maudite Éducation*, Paris, Philippe

Biographie des auteurs

Frantz BENJAMIN *est Poète et diseur. Né à Port-au-Prince, il vit à Montréal depuis 1986. Membre de Société Paroles et Président du Conseil municipal de Montréal, il est l'auteur de quatre recueils de poèmes, a dirigé deux anthologies et participé à plusieurs livres collectifs. Auteur de disques de poésie, ses textes sont chantés par BIC, Emeline Michel et Rutshelle Guillaume.*

Jean Watson CHARLES *est poète, nouvelliste et rédacteur à la revue* Legs et Littérature. *Il a fait des études de Lettres modernes à l'École Normale Supérieure de Port-au-Prince. Auteur de quatre recueils de poèmes dont* Plus loin qu'ailleurs *(2012),* Le chant des marées *(2018), il vit en France.*

Sybille CLAUDE *est née à Port-au-Prince en 1990. Elle a fait des études en linguistique à la Faculté de linguistique appliquée et travaille comme professeure de lettres et de langues. Son* *premier roman,* Le chant des blessures, *a paru en 2017 chez LEGS ÉDITION.*

Louis-Philippe DALEMBERT *est poète, nouvelliste et romancier. Détenteur d'un doctorat en littérature comparée de l'Université Paris III, lauréat du prix Casa de las Americas pour* Les dieux voyagent la nuit *en 2008, il a reçu le prix du livre France Bleu/Page des libraires et le prix Orange 2017 pour* Avant que les ombres s'effacent.

Marie-Josée DESVIGNES *est poète, nouvelliste, romancière et peintre. Détentrice d'un DEA en Lettres modernes, et rédactrice à la revue* Legs et Littérature, *elle est l'auteure de nombre d'articles parus dans des journaux et en ligne, d'un essai* La littérature à la portée des enfants *(2000), d'un récit poétique :* Requiem *(2013) et d'un recueil de poèmes* Langue interdite, langue a-mère *(2018).*

Yanick LAHENS *est née à Port-au-Prince en 1953. Détentrice d'un DEA en Lettres de l'Université Paris-Sorbonne, elle est l'auteure d'articles parus dans des revues dont* Chemins critiques, Cultura, Boutures, Conjonction *et* Legs et Littérature. *Lauréate du prix Mille-pages en 2008 et du Prix du Livre RFO 2009 pour* La Couleur de l'aube, *elle a reçu le prix Femina en 2014 pour son roman* Bain de lune.

Jean-Robert LÉONIDAS est né à Jérémie en 1946. Médecin, spécialiste en endocrinologie, il s'installe aux États-Unis depuis 1973. Poète, romancier et essayiste, auteur d'articles parus dans des journaux, il a publié trois romans, deux recueils de poèmes, trois essais et participé à plusieurs ouvrages collectifs.

Stéphane MARTELLY *est née en Haïti. Essayiste, poète et peintre, elle détient un doctorat en Lettres françaises et est chercheure attachée à l'Université Concordia au Canada. Elle est l'auteur entre autres de deux recueils de poèmes, trois recueils de contes et deux essais dont* Les jeux du dissemblable : Folie, marge et féminin en littérature haïtienne contemporaine *(2016)*.

Dieulermesson PETIT FRÈRE *détient un master 2 en Lettres de l'*Université Clermont Auvergne *et un master en Lettres de l'Université des Antilles et de la Guyane. Éditeur et critique littéraire, il est l'auteur de deux recueils de poèmes et de deux essais dont* Haïti : littérature et décadence. Études sur la poésie de 1804 à 2010 *(2017)*.

Mirline PIERRE *a une scolarité en master 2 en Lettres modernes de l'Université Jean Monnet Saint-Étienne et un master en FLE de l'Université des Antilles. Éditrice et Rédactrice en chef de la revue* Legs et Littérature, *enseignante, elle est l'auteure de deux livres pour enfants dont* Je découvre... Charlemagne Péralte *(2016)*.

Guy Junior RÉGIS *a fait des études d'Anthropologie et de Psychologie. Directeur du festival de théâtre Quatre Chemins, poète, dramaturge et comédien, il a reçu en 2009 le Prix ETC Beaumarchais de la meilleure pièce francophone pour* Le père. *Il est l'auteur de deux recueils de poèmes et d'une dizaine de pièces de théâtre.*

Évelyne TROUILLOT *est née à Port-au-Prince en 1954. Poète, nouvelliste et romancière, elle a fait des études en langues et en éducation. Auteure de pièces de théâtre et de contes pour enfants, elle a reçu en 2010 le prix Carbet de la Caraïbe et du Tout-Monde pour* La mémoire aux abois *et la bourse Barbancourt pour* Le Rond-point.

Gary VICTOR *est né à Port-au-Prince en 1958. Agronome de formation, nouvelliste, romancier et animateur d'ateliers d'écriture, il est éditorialiste au quotidien* Le National. *Auteur prolifique, Il a reçu en 2004 le prix RFO pour son roman* Je sais quand Dieu vient se promener dans mon jardin *et le Prix du Rayonnement de la langue et de la littérature française, de l'Académie française en 2018.*

TABLE DES MATIÈRES

Dans la même collection :

Imprimé pour le compte de LEGS ÉDITION
26, Delmas 8, Haïti.
Dépôt légal : 17-05-253
Octobre 2018
Bibliothèque nationale d'Haïti
ISBN : 978-99970-86-37-2

Made in the USA
San Bernardino, CA
06 January 2020